MANGLARES DE TIEMPO

Cuentos

Alberto Castrillón

Letrame
Grupo Editorial

Primera edición: 2023

© Derechos de edición reservados.
Letrame Editorial.
www.Letrame.com
info@Letrame.com

© Alberto Castrillón

Diseño de edición: Letrame Editorial.
Maquetación: Juan Muñoz Céspedes
Diseño de portada: Rubén García
Supervisión de corrección: Ana Castañeda
Ilustración de la portada: María Camila Castrillón

ISBN: 978-84-1144-824-6

DEPÓSITO LEGAL: AL 830-2023

IMPRESO EN ESPAÑA – UNIÓN EUROPEA

Para Constanza,
Camila, Luisa Fernanda y Felipe,
raíces, retoños y semillas del árbol
en el que han nacido estas
historias.

AGRADECIMIENTOS

Un libro de cuentos que recrea, de manera tangencial, algunos hechos y anécdotas que marcaron mi periplo vital, desde mi ya lejana niñez hasta la primera pandemia del siglo XXI, por fuerza ha de ser deudor de los aportes de familiares, compañeros de la escuela elemental, vecinos, amigos, profesores y colegas. Sin su contribución, las más de las veces, involuntaria, estás páginas no hubieran conocido la luz. Un reconocimiento especial al equipo de Letrame Grupo Editorial. A todos ellos mi gratitud personal e intelectual.

ÍNDICE

«Los mangles que forman este manglar, seremos siempre el apoyo sólido que nunca os fallará… Con nosotros encontraréis el alimento que os falta. En nosotros encontraréis el consuelo que os hará vivir. Vosotros sois nuestros hijos más cercanos»

Mo Yan. *El manglar.*

PRÓLOGO

I

A la altura de la población de Ciénaga, a unos sesenta kilómetros de Aracataca, la tierra de Gabriel García Márquez, niños de cabeza grande y vientre hinchado, algunos completamente desnudos, con las piernas torcidas y delgadas como ramas de mangle, pedían limosna o algo de comer a los viajeros. Si no lo consiguen buscan entre la basura o medran, escuálidos, entre el mangle enfermo.

Hace unos treinta años que lo vi, desde la ventanilla de un colectivo, en la carretera que une a Barranquilla con Santa Marta. Una enorme extensión de ramas secas, de color blanco y grisáceo. Árboles muertos, que sobresalen del lodo y charcas superficiales. Son muchos kilómetros de árboles blancos, como si fuera un gigantesco cementerio de elefantes, paralelo a la Transversal del Caribe, corredor vial que une la Guajira, en la frontera con Venezuela, hasta el Urabá antioqueño, cerca de la frontera con Panamá.

Miré fijamente, casi sin parpadear, el aterrador paisaje. Mi compañero de viaje, hombre maduro, de blancos cabellos, me dijo:

—Son mangles muertos.

Era un funcionario del Parque Isla Salamanca.

—¿Por qué murieron? —le pregunté.

—Es que esto está muy salado, está más salado que el agua del mar, porque ya no llega agua dulce. Solo llega el agua salada. Muchos animales que vivían aquí se fueron en busca de comida. Apenas quedan unos pocos cangrejos enfermos y las artemias, un crustáceo pequeñito que soporta el agua muy salada —me dijo—. Antes había zorros mangleros, muchas garzas, babillas y caimanes. Ni las garzas llegan; de vez en cuando, pasa alguna y se come una artemia; la garza se hincha, tuerce el pescuezo y se aleja —continuó.

II

La palabra mangle es, tal vez, una voz guaraní o caribe y significa árbol torcido. Nada más llegar a Santa Marta busqué información acerca del desastre ecológico. Hay miles de páginas que discuten las razones del mismo.

Las poblaciones de pescadores que viven en las riberas de la Ciénaga Grande de Santa Marta otrora habitaban un paraíso natural en el que abundaban los róbalos, los sábalos, las mojarras y los lebranches, entre otras muchas especies. Poco, muy poco, queda de ello.

El bosque de mangle es la guardería del mar, donde los infantes del agua, la tierra y el aire, están protegidos. El árbol de mangle crece en las costas, junto a corrientes y depósitos de agua dulce; el mangle, pues, vive entre el agua salada y la dulce; la construcción de la carretera impidió el intercambio entre ambas.

Si a ello agregamos el desvío de las aguas de la Sierra Nevada de Santa Marta para proyectos agroindustriales y mineros, la tala y quema de los bosques de mangle, el desecamiento del complejo lagunar por los acaparadores de tierras, la falta de lluvias y la violencia endémica —que arroja a miles de campesinos que huyen de los señores de la guerra— tenemos los principales ingredientes del cóctel de hambre, miseria, y violencia que de cuando en cuando se asoma en las páginas de la prensa capitalina.

Es el costo del progreso, dijo un político, miembro de la clase social que se ha enquistado, hace décadas, para chupar la médula de la vida del mar, de la vida de los bosques y de la vida de los hombres.

III

Muerto el mangle, muere lo demás. Los niños parasitados, los niños del hambre, son la otra cara de la moneda del mangle enfermo. Sin el mangle, escribió el escritor Mo Yan, los hijos huérfanos, los heridos de cuerpo y alma no tienen bienvenida, ni abrazo, ni consuelo, ni alimento, ni hogar. Los pobres son los hijos más cercanos del mangle, porque están hechos de mangle.

Si el flujo de agua dulce alivia el agua salobre, las raíces del mangle crecen y crecen, sostienen la planta, formando un entramado en el que la vida en sus innúmeras formas florece y se renueva, proporciona alimento a los hombres y a las criaturas del agua y del cielo, a la vez que protege las costas de los embates del mar.

Se me ocurrió pensar que hombres y mujeres somos como los mangles: nacemos y crecemos torcidos. Es la condición humana. Así lo dice en su primer libro el mito bíblico. La vida es sinuosa, como los meandros, en cuyas orillas crecen los torcidos árboles.

El mangle humano no puede vivir en salinidad extrema. Sin un poco de agua dulce, sin la dulce ternura, hombres y mujeres languidecen; el corazón adquiere la dureza de la roca y, finalmente, muere. Con el tiempo y el agua dulce suficientes las raíces del hombre mangle pueden crecer y crecer, formando la urdimbre en donde pelecha la vida.

Las raíces del mangle humano están hechas del paso inexorable del tiempo, se nutren de experiencias, saladas, dulces, agridulces, que han troquelado nuestra vida para dar la forma que tiene ahora. Nuevas semillas, arrastradas por las corrientes y las olas, nos llevarán a otras orillas. Los vientos huracanados y los maremotos, o que se nos antojan tales, sacuden nuestras ramas, pero si el agua dulce sigue llegando, el mangle humano no muere antes de tiempo.

IV

Las historias que encontrará en este libro, amable lector, son como las raíces del mangle. Algunas son muy largas, porque empezaron a crecer hace mucho. Otras son más jóvenes. Unas son tristes, otras no lo son tanto, otras parecen divertidas, o tienen de todo un poco. Como la vida misma. Algunas raíces se entretejen con las de otros mangles, han dado semillas, han viajado lejos. Son raíces compartidas. Han resistido el paso del tiempo y del viento. Estas historias son como los cangrejos, los alevines, los huevos de las aves, los pequeños mamíferos, que crecen en las ramas del mangle. Son hijas del mangle, son hilos de tiempo. Han formado un tejido que cobija a tres generaciones ya, formando densas raíces.

La mayoría de estas historias se escribieron durante los meses en que la primera pandemia del siglo XXI se empezó a propagar por todo el mundo. La pandemia nos recordó, otra vez, que la humanidad es una sola. Las escribí para que el embate del tiempo no las borre. Es posible que usted, querido lector, se reconozca en alguna de ellas. No tiene nada de raro. Somos peregrinos del mismo camino, somos peregrinos del tiempo. Compartimos la raíz principal del mangle.

Coveñas, Sucre, 10 de enero de 2023.

EL CUBA

Al sur de Colombia, a unos ochenta kilómetros de la frontera con el país del Ecuador, se encuentra la ciudad de Pasto. Hace dos siglos, sus habitantes se mantuvieron leales a la monarquía española y se negaron a aceptar la Independencia, impuesta a las malas por las tropas venezolanas. De allí su condición de vecinos conservadores, católicos, y más o menos desafectos a la República de Bolívar, condición que conservan hasta hoy.

En esta ciudad existía, hasta hace unos treinta años, un restaurante frecuentado por universitarios pobres, campesinos de paso por la ciudad, secretarias, menestrales, taxistas y gente del común. Las dueñas, Mercedes y María, madre e hija, lo regentaban desde finales de los años cuarenta. Según cuenta María, empezaron con el restaurante en 1948, un mes después del Bogotazo, cuando el levantamiento popular, ocasionado por el asesinato del líder liberal Jorge Eliécer Gaitán, dejó en ruinas el centro de la capital el 9 de abril.

Mercedes y María no fundaron el restaurante. Tampoco le pusieron el nombre, restaurante Cuba: se lo compraron a un ecuatoriano que ya estaba cansado con el negocio. Bajo la administración de Mercedes y María, el Cuba se convirtió en punto de referencia para los habitantes de la ciudad: al lado del Cuba, al frente del Cuba, cerca del Cuba. La ubicación del Cuba era inmejorable: a dos cuadras del edificio de la gobernación, a cuadra y media del colegio de la Compañía de Jesús, a tres cuadras de la estación de bomberos, a menos de trescientos metros de la plaza de mercado y a dos cuadras de la Facultad de Derecho.

Además de los clientes habituales, todos los días, muy puntual llegaba el Loco Hueso; traía dos tarros oxidados de lata, uno para la sopa y otro para el seco. Más o menos furioso, solo recibía la ración diaria si era atendido por María. Un día, una empleada nueva que estaba sirviendo las mesas le quiso recibir los tarros. El barullo que se armó se recordaría por años entre quienes frecuentaban el restaurante. Los gritos del Loco Hueso, el llanto y la prisa de la empleada para escapar del comedor, el miedo de los comensales que no conocían al loco, se acabó en un santiamén tan pronto como María dejó el fogón y le recibió los tarros al peculiar comensal.

El menú era el más barato del centro de la ciudad. De lo más corriente: sopa de avena, sopa de cebada, sopa de plátano; arroz, papa, carne, a veces pollo, nunca pescado; jugo de guayaba, jugo de tomate de árbol, jugo de lulo. Sin embargo, los jueves era un día especial en el Cuba. Muy especial: desde tempranas horas, sin lluvia o con ella, se formaba una fila que casi siempre alcanzaba a tener una cuadra, con empujones, colados y alguna que otra discusión. Los jueves era el día de las empanadas de añejo y el champús.

Las empanadas de añejo se hacen con masa de maíz fermentada, carne de res y huevos duros cortados en trocitos, garbanzos, pimienta, perejil y cebolla finamente picados, manteca de cerdo y sal. El champús es una bebida refrescante, muy apetecida en el suroccidente colombiano y se elabora a base de piña, menta, clavo de olor, canela, harina de maíz, pulpas de lulo, agua y azúcar. *Bocato di cardinale*, decía un abogado calvo, de corbatín y tirantes, voz aflautada y algo petulante. Tal vez el cliente más distinguido o, mejor, inusual, del restaurante.

Mercedes y María eran católicas a la antigua, a machamartillo. Creían con fe de carbonero; con la fe del carbón de palo con el que cocinaban todos los días. Menuditas, envueltas en un pañolón negro, caminaban a toda prisa, con pasos corticos, fueran a donde fueran.

María tenía una trenza negra que le llegaba hasta la mitad de la espalda. Todos los días asistían a misa de cinco, todos los días rezaban el Rosario, todos los días hacían la novena a las almas del Purgatorio, a la Virgen del Carmen, al Divino Niño y unas cuantas más.

Las habitaciones privadas estaban llenas de imágenes de santos, estatuas pequeñas, devocionarios, un crucifijo grande. Parecía una sacristía de pueblo.

En el salón del comedor había dos vitrinas, enormes, una de las cuales tenía pequeñas muñecas de porcelana, cajas de música y bailarinas. La otra vitrina contenía una gran cantidad de búhos hechos de madera, de porcelana, de semillas de durazno, de jade, de barro, de lo que fuera. La colección provenía de varios países: era un obsequio de los fieles clientes del Cuba, quienes mostraban así gratitud para con Mercedes y María.

Año tras año, década a década, con el ritmo tedioso de las cosas que se dan por sabidas, el Cuba hizo parte del paisaje urbano de la ciudad y consolidó su clientela. En 1953 se dio el golpe de Estado del general Gustavo Rojas Pinilla. Ni siquiera fue un golpe de Estado, pues el general solo cumplió el encargo que le hicieron políticos liberales y conservadores. Es un *golpe de opinión*, dijo la prensa. Los mismos golpistas, cuatro años más tarde, decidieron que ya estaban hartos con el general y lo bajaron del poder. Hicieron otro pacto, lo llamaron Frente Nacional, un arreglo entre liberales y conservadores para repartirse el botín estatal durante los siguientes dieciséis años. El Cuba no tuvo problemas con las autoridades en los tiempos del golpe *de opinión*. Tampoco durante el Frente Nacional.

En 1964 se fundaron las FARC y otros grupos insurgentes, en parte como respuesta al pacto de élites del Frente Nacional.

Con la llegada de los años setenta, en casi toda la América Latina, se dieron golpes de Estado, dictaduras militares, guerrillas marxistas y luchas sociales.

La respuesta de las élites a la movilización política, escasa por cierto en Colombia, fue la llamada Seguridad Nacional. Durante esa década ominosa, a los ojos de militares y políticos, los ciudadanos del subcontinente se convirtieron en amenaza para la seguridad del Estado.

Así fue como, a finales de la década, el restaurante de Mercedes y María fue objeto de interés para la inteligencia militar. No solo por lo que sigue de esta historia, sino por otros sucesos semejantes que pasaron en otras ciudades, es difícil entender por qué se llama *inteligencia* a la función de recolectar, procesar y analizar información por parte del ejército colombiano.

—¿Cómo es posible que un restaurante se llame así, Cuba, con tanto descaro? —dicen que preguntó a voz en cuello un coronel del batallón de la ciudad—. ¿Es un restaurante en donde almuerzan estudiantes, o es la sede en donde los comunistas organizan la revolución? —siguió.

Días después, el pequeño restaurante-sacristía fue allanado por un comando especial del ejército, conformado por un capitán y diez soldados. Los bultos de carbón de palo fueron vaciados y esparcidos por todo el lugar; lo mismo pasó con los bultos de papa, las ollas, las camas, los colchones, los santos y los devocionarios, las porcelanas y los búhos. Los explosivos no aparecieron.

Como es costumbre en los restaurantes populares, los restos de comida de cada día se almacenaban en grandes canecas de plástico en la parte más alejada del patio. Se conoce con el nombre de lavaza y se usa para alimentar a los cerdos. Un hombre gordo recogía las canecas todos los viernes, tanto en el Cuba como en otros restaurantes.

La mesnada se sumergió entre las canecas de desperdicios buscando los fusiles de la revolución. Ni siquiera el apestoso olor de la comida en descomposición desalentó a los soldados de cumplir el deber de *luchar contra los enemigos de la patria.*

Era jueves: el contenido de dos ollas gigantescas de champús, junto con cientos de empanadas de añejo, llenaba el piso del comedor. Después de que los comandos pusieron contra la pared a los clientes, empellones, insultos y patadas incluidos, a gritos solicitaron la presencia de los dueños: Mercedes y María, acojonadas por el miedo, envueltas en su pañolón negro, balbucieron unas inaudibles palabras. El capitán quedó pasmado. En silencio. Después de unos segundos interminables esbozó una sonrisa. Luego, conteniendo una carcajada, le sugirió a Mercedes y María que, para evitar malos entendidos en el futuro, le cambiaran el nombre al restaurante. No le hicieron caso: el Cuba cerró sus puertas con la muerte de Mercedes y los achaques de María, producto de varias décadas respirando el humo de las hornillas de carbón. Para ser marciales, el Cuba murió con las botas puestas.

Hoy, María, casi centenaria, sin restaurante y postrada en una cama, casi ciega, es visitada a diario por sus hijos, nietos y uno que otro de sus antiguos clientes. El Loco Hueso, el hombre de la lavaza y el abogado del corbatín, los más cercanos a Mercedes y María, murieron hace años.

María no olvida nada. Sin parar, todavía reza novenas y recuerda historias del restaurante. Cuenta anécdotas del abogado calvo, del hombre gordo de la lavaza, del barullo que armó el Loco Hueso, de las filas de los jueves. Sonríe. También relata con minucia, sin omitir detalle, el operativo del comando del ejército buscando los explosivos y las armas de la subversión: ríe a carcajadas.

RUTAS GASTRONÓMICAS

I
El estudiante

Él se levantó, como todos los días de lunes a viernes, a las seis de la mañana. Con la rutina de siempre, ducha, tendida de cama y magro desayuno con café negro y dos galletas de soda, se fue a la parada de bus. Ocho de la mañana. La universidad, en el centro histórico de la ciudad, está a poco más de veinte minutos de viaje desde su casa. Se imaginaba que sería un día como cualquier otro de los últimos cinco años.

Comienzo de semestre. Adicto a las noticias, se conecta con su celular a los diarios: alcaldes, gobernadores y concejales de más de mil municipios inician su mandato. Las masacres, los atentados, las *vendettas* entre mafiosos, nuevos desplazamientos de campesinos por grupos de extrema derecha, la fundación de un nuevo frente subversivo, un ciclista que triunfa en Europa. El primer concierto de la gira de despedida de Soda Stereo, la banda de rock argentina.

La prensa habla de un acuerdo contra el terrorismo, pacto firmado por un secretario estadounidense, un presidente colombiano —que pasará a la historia como el peor de todos— y un farsante, autoproclamado mandatario de una república petrolera.

Marchas multitudinarias contra el gobierno. Un laboratorio para el procesamiento de cocaína en la finca de un embajador. Nada inusual en un país que ha naturalizado el horror.

Algo parece nuevo: un virus que llega de Asia el cual, según la prensa, tenía un riesgo moderado o de simple gripa. Las noticias cuentan de un avión de la fuerza aérea colombiana repatriando nacionales desde el foco del virus en Wuhan.

El bus a esa hora está más o menos desocupado. No puede evitar oír que una mujer pregunta la manera de llegar a la Plaza de Bolívar. Por el acento se notaba que no era colombiana. Y, como suele pasar, el hombre que respondió le dio instrucciones precisas para alguien que conociera Bogotá como si fuera un taxista: le habló de calles, carreras, diagonales, ópticas, tiendas de ropa, paraderos y negocios. O sea nada. Ante la cara de desconcierto de la pasajera, alguien le dijo que lo mejor era que se bajara en veinte minutos. Quien conozca cómo funciona el transporte público en la capital sabe que el tiempo de viaje en Bogotá es tan incierto como su clima. La cara de la turista era casi de espanto. Otra pasajera se ofreció a ayudarla:

—Mire, yo voy hacia allá. La dejo lo más cerca que pueda, porque yo me quedo unas cinco cuadras antes de la Plaza de Bolívar —le dijo.

Sonó el móvil de la amable guía. Tras breves palabras, le dijo a la extranjera:

—Me tengo que bajar ya, pero no está lejos. —A continuación le dijo al joven universitario—: Como usted sigue, se la recomiendo porque ella no es de aquí.

Así fue como terminó a cargo de la pasajera. Se sentó a su lado:

—Yo voy a la universidad, que queda en el mismo barrio. Como tengo tiempo, la puedo acompañar hasta una calle desde la cual se puede ver la Plaza de Bolívar. Desde allí puede seguir sola.

II
La abogada

Ella llegó a Bogotá un martes a las seis de la tarde procedente de Cancún, en donde estuvo varias semanas tratando de olvidar las penas que le dejó un mal amor. Acabando la treintena de años, estaba en esa edad en la que todavía el tiempo no se ha llevado del todo las ilusiones y la fogosidad de los años mozos. Bogotá solo era una escala en el camino a Cochabamba. Y como es usual, en Bogotá no pudo hacer conexión porque el aeropuerto estaba cerrado. El vuelo a La Paz quedaba para el día siguiente en horas de la tarde. Tenía un día casi completo en una ciudad que no tenía pensado conocer. La aerolínea le pagó un hotel en la avenida que lleva al aeropuerto. Al mal tiempo buena cara, se dijo:

—Mañana temprano iré a conocer la Plaza y La Quinta de Bolívar. Al fin y al cabo, como dijo Manuel Martín Cruz en 1825, *si de Rómulo Roma, de Bolívar Bolivia*. Y en Bogotá está la casa en la que vivió Bolívar y la Plaza que lleva su nombre. Almorzaré un ajiaco bogotano para ver cómo es el plato típico más conocido de Colombia. Después regreso al hotel, tomo las maletas y me voy al aeropuerto.

Tras un desayuno con chocolate, huevos con tomate y cebolla —los llamados huevos pericos— y arepa de maíz, la forzada turista salió a la calle 26 a esperar un bus que la llevara a la Plaza de Bolívar.

III
El guía turístico y gastronómico

El joven universitario pregunta:
—¿Y usted de dónde es?
—Soy de Cochabamba, Bolivia. Es la primera vez que estoy en Colombia —le dijo.

Le contó el contratiempo con la conexión aérea perdida y el día inesperado para hacer turismo. El universitario cae en cuenta de que van pasando por la carrera quinta, cerca de la Avenida Jiménez, la cual ya no la adorna la estatua del fundador de Bogotá, pues fue derribado durante las multitudinarias marchas en contra del peor gobierno que haya tenido la República. El estudiante le dice a la abogada:

—Si usted quiere, creo que deberíamos bajarnos ahora. Usted tiene que conocer el Museo del Oro. En Bogotá es casi una obligación conocerlo.

Ella asiente:

—He oído hablar del museo. Yo soy abogada —dice—. ¿Tú que estudias?

—Yo también, pero no me he graduado. Ya terminé todas las materias, pero me falta la ceremonia de grado.

—Qué bueno. Entonces tenemos tema. Si tienes tiempo… ¿me acompañas al museo? —pregunta la abogada.

El estudiante pensó que valía la pena volver a ver la mejor colección de orfebrería del mundo, a pesar del saqueo al que ha sido sometida en el pasado. Así empezó ese día, *el más raro que he tenido en mi vida*, le dijo a sus compañeros la mañana siguiente.

—Ayer salí de mi casa para ir a la universidad y terminé convertido en guía turístico, gastronómico, histórico, *partner* jurídico y otras cosas.

Al Museo del Oro siguió la Quinta de Bolívar, a donde llegaron caminando por la Avenida Jiménez. Parada en la estatua del escritor peruano Ricardo Palma, el de las *Tradiciones Peruanas*.

—Aquí vivió Bolívar un tiempo. Esta casa se la donó el gobierno de Colombia en 1820 por los servicios prestados a la Independencia. Y ya casi para irse al exilio, que no pudo ser porque murió en Santa Marta, en 1828 llegó a acompañarlo la quiteña Manuelita Sáenz que abandonó a su esposo, un médico inglés. Manuelita organizaba fiestas y reuniones aquí —dijo el estudiante.

La jurista del altiplano boliviano lo miraba y oía atentamente. De la Quinta de Libertador pasaron al Cerro de Monserrate, subieron en teleférico y bajaron en funicular. Del cerro se dirigieron a la Plaza de Bolívar. *Qué diablos, el día ya se perdió,* pensó el estudiante. *No vale la pena ir a la universidad a esta hora.*

La Plaza de Bolívar, el Colegio Mayor de San Bartolomé, la Catedral, la Alcaldía de Bogotá, el Capitolio, el Museo del 20 de julio. *Cuando se quiere, todo puede ser un buen pretexto para echar a perder un día,* se dijo el estudiante.

—¿No tienes hambre? Tanto caminar me ha abierto el apetito. ¿Conoces un buen restaurante? Me han dicho que el ajiaco bogotano es buenísimo, pero no sé cómo es el de aquí, porque en varios países de América Latina hay ajiacos —dijo la abogada.

El estudiante no perdió la ocasión de presumir sus conocimientos gastronómicos:

—El ajiaco bogotano no tiene picante, o mejor, hay gente que le echa, pero no es común. Es una sopa a base de pechugas de pollo, mazorcas frescas, cebolla, ajos, pimienta, cilantro picado y varias clases de papa; la papa amarilla no puede faltar. Algunos usan arracachas pero otros no. Hay que echarle guascas, una especie de yerba que en México llaman piojo. Para servirla se le añade crema de leche espesa y alcaparras. Como puedes ver es un plato muy mestizo, desde las papas americanas hasta las alcaparras españolas, pasando por el americano maíz.

—Ahora sí me dieron ganas de comer ajiaco. ¿Hay un restaurante cercano que sea bueno? —preguntó la abogada.

—El mejor de todos es La Puerta Falsa, está aquí mismo. Vamos —respondió el estudiante.

Ajiaco, dulces típicos, mantecadas, aguadepanela y hasta chocolate santafereño acompañado de almojábana y queso fueron degustados con fruición. No faltaron las referencias a la jurisprudencia colombiana y boliviana.

—¿Sabes que en Bolivia copiamos mucho las sentencias colombianas? Ustedes escriben bien y mucho —dice la abogada.

—¿Y tú sabes que nosotros copiamos mucho las sentencias españolas?

Risas van y vienen. El estudiante mira la hora en su teléfono.

—Creo que tienes que hacer el check-in —le dice.

—¡Qué boluda, se me había olvidado!

—Y creo que sería mejor que fueras a recoger el equipaje, de pronto se te hace tarde.

Toman un taxi, la ciudad está casi vacía. En pocos minutos llegan al hotel. El botones ayuda con una pequeña maleta. Todavía quedan casi tres horas para el abordaje.

—Como ya está listo el check-in, no hay necesidad de llegar tan temprano —dice el estudiante.

—¿Sabes si, cerca de aquí, se puede tomar un café, pero café de verdad, café colombiano? —pregunta la viajera.

—Sí, aquí al lado hay uno muy bueno —contestó él.

—¿Y es que tú conoces toda la ciudad o qué? —Ríe.

Entre risas, el estudiante le cuenta que él vive en una pequeña pensión, al lado de la Ciudad Universitaria, a menos de doscientos metros del hotel en donde se aloja la abogada.

—Hay un café frecuentado por profesores y estudiantes; se llama Nicanor —dice el estudiante.

IV
El pichón de Cliza

El café Nicanor —por el poeta chileno Nicanor Parra— es la próxima parada de los contertulios. Café, postre, pequeñas galletas de almendras. Ya no hablan de sentencias de las altas cortes. Hablan de comida. Es el turno de la abogada.

—Mi ciudad, Cochabamba, es la capital gastronómica de Bolivia. Tenemos un montón de comidas, todas muy buenas. A mí me gusta mucho el *pimiento a lo macho*, un plato a base de lomo de ternera, cebolla morada, huevos duros, pimientos locotos. Es muy picante, por eso le llaman pimiento a lo macho. Nació como un plato para los pilotos borrachos de una aerolínea boliviana con ganas de seguir bebiendo y conversando. También está muy bueno el *lambreado de conejo*, que no es de conejo, es de cuy. Otra receta que me gusta es la *chanka de pollo*. Pero a mí lo que más me gusta comer es el *pichón de Cliza*.

El improvisado guía la escucha y sonríe. No puede evitarlo. Ella sonríe también, y le pregunta:

—¿De qué te ríes?

—Es que nosotros utilizamos la palabra pichón en varios sentidos. Puede ser un pichón de paloma, o alguien muy joven. La gente mayor para decir que alguien no está preparado todavía para una tarea dice: *es que está muy pichón*.

—Pero eso no es lo que te da risa —contesta la abogada.

—No, es que en la región de donde vengo, al sur del país, también utilizamos la palabra para referirnos a alguien que picha mucho. Y pichar es lo que ustedes llaman coger. Mejor dicho, es la palabra colombiana para joder, follar, chingar. Se me ocurrió pensar que Cliza era una mujer. ¡Imagínate, cómo suena decir en mi ciudad el pichón de Cliza!

Entre risas, la viajera dijo:

—Imagínate, yo decirle a un colombiano que me gusta mucho comer el pichón de Cliza.

Las carcajadas llenaban el pequeño café. A duras penas el estudiante pudo preguntarle cómo se preparaba el plato.

—Se ponen a cocer los pichones de paloma, de solo tres semanas; si no es así, el sabor no es bueno. Hay que cocinarlos hasta que queden blanditos, tiernos. Se cuecen con sal y hierbas para darles sabor. Se escurren y condimentan con pimienta. Después se pueden asar al carbón hasta que dorarlos por ambos lados. También se puede echar un chorrito de aceite para que queden más dorados —cuenta.

—¿Y con qué se acompañan? —pregunta el guía, entre risas.

—Con ensalada de tomate, cebolla y remolacha. Y se acostumbra servirlos bien calientes.

—¿Y por qué de Cliza?

—Es que Cliza es una pequeña ciudad, que queda a treinta y siete kilómetros de Cochabamba. El plato es de allí. Por eso se llama así. No es el novio de Cliza. —Risas.

Después de la sesión de cultura culinaria, salen del café.

—¿Podemos irnos en Transmilenio? —pregunta ella.

—Sí… a esta hora tal vez sea mejor que tomar un taxi. Estamos a tiempo. Tal vez te toque una hora en la sala de espera.

La abogada lo mira y le dice:

—¿De verdad, vives cerca de aquí?

—Sí, ¿por qué?

—Es que necesito ir al baño —dice ella.

El abogado en ciernes piensa: el ambiente se está poniendo muy morboso… ¿Por qué no entró al baño del café? Bueno, debe ser que se le olvidó.

—No hay problema —dice.

La pensión queda a una cuadra del café Nicanor. Suben al quinto piso. La habitación está impecablemente arreglada. Al lado del computador hay un pequeño cactus, por aquello de la radiación. Los códigos en una fila. Los libros de literatura en otra.

El estudiante se pone una boina, imitación de la que usaban los republicanos en la guerra civil española del 36. Van a buscar la estación de Transmilenio. En menos de un cuarto de hora llegan al muelle internacional. Suben por el ascensor. Van directamente a la fila. Él la acompaña hasta el sitio en que los pasajeros se pierden de vista. Ella se voltea, le da un beso largo en la mejilla izquierda y le dice suavemente al oído:

—Te espero en Cochabamba, tierno pichón.

A continuación, saca de su bolso un pequeño papel y lo mete en el bolsillo de la camisa del estudiante.

—Es para que lo leas cuando estés en tu casa —le dice.

El estudiante no pudo aguantar las ganas de leerlo. Apenas ella se perdió de vista sacó el papel del bolsillo y leyó: *Para que no me olvides hasta que nos veamos de nuevo, apenas llegues a tu casa busca el poema* Fecundación. *Es del mejor poeta de Cochabamba, Francisco Javier del Granado.*

El pichón de abogado llega a su habitación, busca el poema en internet, y lee:

Gimió la hembra, estremecida y loca,
en el supremo goce de la vida.
Y una bermeja flor se abrió en su boca.

Apenas tres semanas después, las fronteras y los viajes internacionales fueron clausurados por la primera pandemia del siglo XXI. Es lo único que ha impedido que la faz del joven abogado, graduado ya, sea mordida por la pantera lujuriosa de fragantes carnes, carnes florecidas bajo el peso del brillante Febo que dijera el vate boliviano.

EL CADÁVER INSEPULTO

τὸν δ᾽ ἀθλίως θανόντα Πολυνείκους νέκυν
ἀστοῖσί φασιν ἐκκεκηρῦχθαι τὸ μὴ
τάφῳ καλύψαι μηδὲ κωκῦσαί τινα,
ἐᾶν δ᾽ ἄκλαυτον, ἄταφον, οἰωνοῖς γλυκὺν
θησαυρὸν εἰσορῶσι πρὸς χάριν βορᾶς.

(En cambio, al cadáver de Polinices, tan desdichadamente
muerto, dicen que ha
prohibido por medio de heraldo que nadie le dé sepultura ni la-
mento funerario; se le ha de dejar privado de llantos e insepulto, cual
sabroso tesoro para las aves que lo
oteen ansiosas de rapiña).

(*Antígona*, de Sófocles 496-406 a. C.)

I

Parece fuera de toda duda el deber fraternal y filial que obliga a
la humanidad a dar sepultura a quien muere. Hijos, padres, hermanos y demás familiares están en la obligación de inhumar a los
propios, e incluso a los extraños, como manda la antiquísima tra-
dición cristiana de las obras de misericordia en su numeral siete.

Las leyes de los hombres no pueden disponer cosa distinta a que se cumpla esa obligación. Así lo pone Sófocles en boca de Antígona: las leyes de los hombres no están por encima de las leyes de Zeus.

En la tragedia griega, Edipo mata a su padre Layo y se casa con Yocasta, su madre. Yocasta, al saber que era la esposa de su propio hijo se quita la vida ahorcándose. Edipo, por su parte, al saber que había asesinado a su padre se quita los ojos y se marcha de Tebas. Edipo y Yocasta tienen cuatro hijos, Polinices, Etéocles, Ismena y Antígona. Los varones acuerdan que gobernarán Tebas en reemplazo de Edipo, por turnos, empezando Etéocles y siguiendo Polinices después de un año.

Etéocles, al concluir el año, se niega a que lo suceda su hermano Polinices. Empieza una guerra, ambos hermanos mueren y el reino de Tebas queda en manos de Creonte, hermano de Yocasta y tío de los cuatro hermanos.

Creonte manda enterrar a Etéocles con honores, en tanto que ordena que al cadáver de Polinices se lo deje insepulto y sea devorado por las alimañas, trato dispensado a los traidores.

Antígona, contrariando la ley, da sepultura a su hermano. Creonte le pregunta acerca de su proceder. Antígona responde: *¡Como no era Zeus quien la había promulgado, no creí yo que tus decretos tuvieran tanta fuerza como para invalidar leyes divinas de tal forma que un mortal pudiera violarla!*

El rey ordena que Antígona sea sepultada viva. Ella se quita la vida. Al final, mueren la esposa de Creonte y Hemón, hijo de Creonte y amante de Antígona.

La tragedia de Sófocles ha sido objeto de muchas interpretaciones. Hay quienes ven en la tragedia griega la primera formulación clara del derecho natural, cuya validez precede al derecho de los hombres, por cuanto tiene como fundamento el mismo cielo desde tiempos inmemoriales. Un simple mortal, como Creonte, no puede dictar leyes en contra de lo que han mandado los dioses. Antígona prefiere desobedecer las leyes del mundo antes de transgredir las leyes de los dioses.

II

Algún celebérrimo autor cree que Antígona muestra el conflicto entre el ámbito de la familia y el de la sociedad, el primero encarnado en la mujer, naturaleza pura, propio de la tierra, amor concreto, amor filial. El segundo, representado por Creonte, es la razón de Estado, la ley de los hombres, la polis. El poder de la sangre frente a la democracia.

Tampoco faltan quienes ven en Antígona una feminista *avant la lettre* quien se levanta contra el poder totalitario del macho tío.

Incluso, hay alguno para quien Antígona es el símbolo de católicos varones, que llegaron hasta la sangre por oponerse al cesaropapismo protestante.

En este relato dejamos en manos de los expertos en la lengua de los dioses esas y otras elaboradas exégesis. Nos remitimos a su sentido más obvio, que tal vez no sea el más correcto: enterrar a los muertos es deber fraterno, filial. Sin embargo, aquí se contará un hecho en el que los mismos dioses parecieron oponerse a que unos deudos dieran cabal cumplimiento a tan divino mandato.

III

En una vereda, de nombre Buenavista, hace mucho tiempo —tanto que solo los muy ancianos recuerdan esta historia— vivió un hombre al que apodaban Campo Santo. Se decía que tenía en su haber varias docenas de asesinatos, ninguno de los cuales se pudo, o quiso, probar. Según los vecinos tenía la facultad de volverse invisible para cometer los homicidios.

Finquero, cultivaba plátano, café, tenía cerdos y vacas. Todos los habitantes de Buenavista habían sufrido un robo, una estafa, un fraude o un engaño, a manos del personaje de esta historia.

Invencible en peleas a machete, siempre contaba con una finta que su contrincante desconocía, con lo cual no perdía una pelea. Había corrido una y mil veces las cercas de su finca, la cual crecía de año en año, en tanto que las de sus vecinos se achicaban más y más. Al final, los colindantes, para evitar problemas, optaban por marcharse.

Se rumoreaba que muchos de los muchachitos que asistían a la escuela veredal eran hijos suyos, nunca reconocidos. Como en el corrido mexicano, en aquellos campos no quedaba ninguna flor. Campo Santo las había marchitado.

Como no hay plazo que no se cumpla, también a alias Campo Santo le llegó la hora de abandonar el mundo de los vivos. Sus tres hermanos y dos hijos —la madre había muerto tiempo atrás— procedieron a dar cumplimiento al fraternal y filial deber que los dioses han convenido para los hombres.

Tras una corta ceremonia, con misa sin sermón y con muy pocos asistentes, el cadáver fue enterrado en el cementerio de la vereda situado en un pequeño promontorio lleno de eucaliptos y rocas de color negro. Las personas evitan pasar por allí, aunque ya no saben por qué. Simplemente, saben que allí no hay que ir.

Al día siguiente, en horas de la tarde, se desató una tormenta espantosa. El cielo parecía roto. Los vientos inclinaban los altos eucaliptos. Cayó un rayo en la pequeña colina del cementerio. El árbol más viejo, cuyo tronco necesitaba los brazos de dos personas para abarcarlo, empezó a arder. El sahumerio de eucalipto se esparció por todo el lugar. ¿Un ritual de purificación hecho por los dioses? ¿Asepsia divina? ¿O los cielos mandaban que el cuerpo de Campo Santo nunca estaría como la semilla del eucalipto, es decir, *bien oculto* —εὖ καλυπτός—?

Un viejo que conoció a alias Campo Santo, y quien todavía vive en el lugar, cuenta que los pelos de todo su cuerpo quedaron erizados mucho rato.

Al amanecer, los vecinos fueron a ver si el rayo había destrozado las tumbas. Con espanto miraron que todo estaba en su lugar, salvo el féretro de Campo Santo: el ataúd seguía intacto, encima de una pila de tierra quemada, de color negro, con la que se cubrió al muerto. Parecía que la tierra se negara a acoger en su seno los restos de Campo Santo.

Los paisanos se opusieron a que fuera sepultado de nuevo en el pequeño cementerio, por lo cual hermanos e hijos del difunto optaron por enterrarlo en su misma finca. Como nadie quiso ayudar en la excavación, los deudos tuvieron que hacerla ellos mismos. Para *mayor seguridad*, dijeron, hicieron un hoyo mucho más profundo de lo normal. *Por si acaso.* Solo fue cuestión de días para que una tormenta, aún más espantosa que la anterior, volviera a sacar el ataúd a la superficie.

Aterrorizados, los familiares pagaron un novenario de misas y lo llevaron al cementerio de la capital regional. Compraron a la parroquia una bóveda, es decir, un espacio cerrado entre cuatro muros, para depositar sus restos. Lo que algunos temieron se cumplió: al poco tiempo, un rayo solitario, sin vendaval ni lluvia ni nada, cayó en la bóveda, destrozó la lápida y dejó al descubierto el cajón de madera.

Tanto los deudos como el cura quedaron convencidos de que no había lugar en el mundo que aceptara recibir los despojos mortales de Campo Santo:

—Si ese malnacido lo hubieran enterrado en mierda, la misma mierda lo hubiera vomitado. Así era de malo —dijo el anciano que me contó la historia.

Aun contraviniendo la costumbre eclesiástica de aquellos tiempos, el obispo ordenó que el difunto fuera quemado con abundante leña de eucalipto —*que arde mucho tiempo y da mucha brasa*—hasta que quedaran solo las cenizas. Así se hizo. Las cenizas fueron recogidas en un recipiente de metal, las cuales se arrojaron en uno de los ríos que surcan el país de sur a norte. A veces los dioses son caprichosos. Esta vez se opusieron a que los familiares de Campo Santo acataran su propio designio. Aunque, pensándolo bien, el fuego que todo lo purifica, y que desintegró el cuerpo del difunto, también es regalo divino.

EL HOMEÓPATA

I

En un pueblo de la Sabana de Bogotá tuvo lugar, hace unos diez años, una pugna entre un profesor jubilado, biólogo, de la Universidad Nacional en uso de buen retiro y un médico joven egresado de la misma universidad que puso, primero, un consultorio y después una clínica en el marco de la plaza.

El profesor, Tomás, vivía en una pequeña finca a poca distancia del pueblo. Viudo ya, lo visitaba cada fin de semana, desde el viernes hasta el domingo, su única hija, Daniela, quien estudió literatura y también se dedicaba a la docencia universitaria. Tomás ocupaba parte de sus días en hacer largas caminatas por antiguos caminos reales y fotografiar aves que llegaban a la finca. Tomás había dispuesto comederos y bebederos en los árboles más grandes de la propiedad.

Con esmero plantó una pequeña huerta de hortalizas, verduras y algunas frutas para su propio consumo. Criaba unas pocas gallinas criollas a campo abierto. Los escasos excedentes de la granja los intercambiaba por productos de otras huertas, cultivadas por los vecinos. No le faltaban arvejas, lechugas, zanahorias, cebollas, moras, uchuvas y huevos criollos. En las tardes y las noches leía, sobre todo, literatura francesa. Molière y Montaigne eran sus favoritos. Como Tomás gozaba de buena salud, tal vez por el régimen de vida que llevaba, casi nunca iba al médico.

El joven médico, Juan, por su parte, había cursado la carrera y se graduó con honores. Roñoso y ambicioso, se propuso «ser millonario antes de los treinta». Emparentado con un político importante, apenas graduado, fue nombrado médico de planta en el hospital de uno de los barrios más peligrosos de la capital. *Demasiado trabajo*: los heridos de cuchillo, de balas o de palizas se amontonaban los viernes y los sábados en la noche. Los domingos por la mañana, el piso de la sala de urgencias parecía el de una carnicería. Juan, hijo único, consentido y malcriado por tías y abuelos no era precisamente la flor del trabajo. Eso sí, como toda su familia, era devoto de la Virgen y de un montón de santos.

Renunció al poco tiempo. Gracias a su tío, fue nombrado director del puesto de salud del aeropuerto internacional. Estaba seguro de que en ese sitio no habría mucho que hacer. Al fin y al cabo, accidentes en las pistas casi nunca se presentan. De vez en cuando algún pasajero sufre algún trastorno. *Nada mal*, se dijo. No tenía ni idea de que una terminal aérea presenta muchos problemas sanitarios, los que deben ser atendidos rápidamente.

El elevado número de personas, entre viajeros, trabajadores, pilotos, concentrados en poco espacio supone un riesgo: transmisión de enfermedades, pasajeros que llegan a vacunarse contra la fiebre amarilla porque viajan a zonas de riesgo, horarios —o, mejor, la falta de horarios— extensos, primeros auxilios, resucitación cardiopulmonar, fracturas, hemorragias, shocks nerviosos y alteraciones psicológicas, intoxicaciones.

Por si fuera poco, en el muelle internacional del aeropuerto capitalino, todos los días toca salvarle la vida algún pasajero, a veces más, que ha ingerido decenas y aun cientos de cápsulas llenas de algún estupefaciente, de las cuales una o más se han reventado. Esos correos humanos, llamados mulas, muchas veces ni siquiera saben cuántas cápsulas ni qué sustancia han ingerido. Ya se imaginan lo que pasó. Juan renunció, y su tío no quiso saber nada más de él.

Su devota madre lo encomendó a las almas del purgatorio, a la Virgen del Carmen, a la del Perpetuo Socorro y, por supuesto a San Rafael, patrono de los médicos, los novios, los que sufren en el cuerpo y en el alma. «San Rafael, Recurso de Dios, Ángel de la Salud, Medicina de Dios, ruega por mí. Dame un empleo. Amén», se convirtió en el mantra, letanía mejor, que acompañaba a Juan a todas horas.

II

Sus ruegos fueron atendidos: la clave estaba en unir medicina y teología. Igual que San Rafael. Más aún, su devota madre le insistió en que los males del cuerpo no existen, pues todos se reducen a males del alma. La enfermedad es enviada por Dios para castigar el pecado. *Lo que hay que combatir es el pecado, no sus consecuencias,* le dijo su madre. Sin pecado no hay enfermedades.

No era una idea original de la madre de Juan: ya en 1772 el reverendo inglés Edmund Massey tronó contra la peligrosa práctica de la inoculación, pues si Dios no quisiera las enfermedades estas no existirían. Oponerse a ella es cosa del diablo, sostuvo Massey.

¿Qué había pasado? Que a finales del siglo XVIII el británico Edward Jenner había descubierto que la linfa de las pústulas de los enfermos de viruela podía inocularse de un enfermo a una persona sana con una espina de naranjo. Quienes eran así vacunados, después de unas ligeras molestias, ya no morían de viruela y se convertían, a su vez, en un receptáculo de la vacuna para inocular a otra persona.

El procedimiento se repetiría una y otra vez. En 1803, el moribundo Imperio español emprendió la que tal vez sea la última de sus grandes hazañas: al mando del médico y científico Balmis partió una expedición hacia las Américas y Filipinas con un grupo de niños reclutados en orfanatos de Galicia, quienes portaban en su cuerpo las vacunas contra la viruela. Recalando de puerto en puerto, la vacuna contra la viruela llegó a la Nueva Granada y a los demás territorios del Imperio español. Subiendo por el río Magdalena, llegó a Santafé de Bogotá, presa en ese momento de una terrible peste de viruela. En cada puerto del río, con el desembarco de la misión sanitaria se celebraba una gran fiesta con misa y todo.

III

Juan, con la bendición de su madre y el concurso de San Rafael, empezó a atender, por una pequeña suma de dinero, a la gente del pueblo y los campesinos de los alrededores. Poco a poco, logró convencerlos de que la raíz de toda enfermedad estaba en el pecado, y que las vacunas no se necesitaban. Primero lo primero: se convenció de que tenía el don de imponer las manos, don que la Providencia dispensa a los santos. Podía diagnosticar y sanar el cáncer sin exámenes. Y remediar los males del espíritu. Curaba tanto las desavenencias matrimoniales como una gripe.

Lo segundo, fue tomar cursos de homeopatía en una respetable institución bogotana. El despacho de Juan se llenó de pequeños frascos con nombres en latín —*Nux* vómica, *Arsenicum album, Apis mellifica*—. Los medicamentos en latín son más efectivos que los medicamentos en español. Son buenos nombres. En todo caso, mejores que nuez vómica, arsénico y miel de abejas. Y he aquí que en cada casa del pueblo —al fin y al cabo todos estamos enfermos de algo— las gentes se encontraban diluyendo sustancias hasta el infinito y golpeando frasquitos muchas veces.

—Es que el agua tiene memoria —decía a los pacientes—. Y los repetidos golpes son necesarios para activar el medicamento.

Las gentes se arremolinaban a la entrada del consultorio. El precio de la consulta subió un poco. Juan descubrió la gansa de los huevos de oro. Construyó una pequeña clínica, ya no llegaba al pueblo en transporte público sino en una camioneta de lujo, cambió el vestuario. Por supuesto, asistía puntualmente los domingos a misa de doce. Entonaba salmos como un querubín, hacía las lecturas del día. Sus clientes aumentaban semana a semana.

IV

Tomás, que rara vez iba al pueblo, gracias a los campesinos de la vereda terminó enterándose de las buenas nuevas. No se puede decir que Tomás se llenó de santa ira, pues no era creyente, sino de una furia de los mil demonios. Lo primero que vino a su memoria fue lo que escribió el tenebroso Ambrose Bierce en el *Diccionario del Diablo*: el homeópata es un «humorista de la medicina». Para el cáustico Bierce, la homeopatía es una escuela a mitad de camino entre la alopatía y la ciencia cristiana, lo que la hace muy superior a todas, porque la ciencia divina puede curar enfermedades imaginarias, lo que resulta imposible a otras ciencias.

Tomás decidió tomar el toro por los cuernos: a través de la Junta de Acción Comunal reunió a toda la gente de la vereda en la escuela rural. Llegó armado con una presentación en cartulina, lo más didáctica posible. Les contó acerca del efecto placebo, por qué es imposible que en una sustancia diluida las veces que decía los frasquitos, más las veces que los clientes debían hacerlo, exista la más mínima traza de la sustancia original. Defendió las vacunas, les habló de virus, gérmenes, bacterias, de la viruela y los españoles. Por último, en un acto que parece surrealista, les habló de moles y de la constante de Avogadro.

Los campesinos lo miraban en silencio. Una vieja le dijo que no podía ser verdad lo que el profesor decía, porque, entre otras cosas, nunca lo habían visto en misa. Menos mal que Tomás no les contó lo que decía el *Diccionario del Diablo* acerca de los homeópatas. Mejor dicho, le fue como a San Pablo en el areópago de Atenas. El mismo día de la reunión en la escuela Juan estaba al tanto de la misma. A primera hora del día siguiente, Juan llegó a la finca de Tomás. El intercambio de palabras fue más o menos de este tenor, según contó Tomás tiempo después.

—Doctor Tomás, en primer lugar vengo a saludarlo. Yo soy el médico nuevo.

—¿El homeópata? Ya sé de usted.

—Sí, soy el médico homeópata. Me llamo Juan. Y vengo para que charlemos…

—Creo que no tengo mucho que charlar con usted. O, bueno, de pronto sí —contestó Tomás.

—Yo vengo en son de paz, profesor. No quiero tener ningún problema con usted. Dígame lo que piensa —dice Juan.

—Pues, no sé cómo decirle… como para que no suene feo, ni agresivo —vacila Tomás.

—Diga no más, que hablando es como se entienden las personas —contesta Juan.

—Para empezar, dice Tomás, no existe la medicina homeopática. O es medicina o es homeopatía.

—La homeopatía es ciencia, está probada y es efectiva. Soy médico graduado en la Universidad Nacional. ¿Por qué usted le dice a la gente que lo que yo hago es un engaño? —pregunta Juan.

—Una de dos: usted, efectivamente cree en la homeopatía, lo cual demuestra que perdió su tiempo en la universidad y los colombianos perdimos la plata de su educación. Es el colmo que un país pobre haya invertido una cantidad de plata en formar un médico para que usted se haya dedicado a la magia. O, en segundo lugar, usted sabe que lo que dice a estas buenas gentes es mentira. En ese caso, usted es un malvado.

—Profesor Tomás, creo que usted tiene un dolor en el alma. Necesita sacar esa rabia del corazón. Si usted quiere, con la voluntad de Dios, yo lo ayudo —contestó Juan.

Tomás se contuvo, pues llegó a creer que tal vez, solo tal vez, Juan estaba convencido de lo que decía. Se dispuso a hacer un esfuerzo más: tabla periódica, moles, constante de Avogadro, infinitésimos, diluciones, escalas y porcentajes, enfermedades y síntomas iban y venían. Imposible. Varias horas de conversación, cada vez más acaloradas, no sirvieron de nada. O, no tanto, pues al final hubo un pequeño acuerdo entre Juan y Tomás: que la medicina convencional no funcionaba como la homeopatía o, mejor, que eran incompatibles. Tomás, con una mueca que pretendía ser una risa, le dijo.

—En ese caso, usted debería renunciar a su título de médico y pedir la anulación de su tarjeta profesional.

—¿Cómo se le ocurre? ¿Cómo podría demostrarle a la gente que yo soy un médico serio? —preguntó Juan.

Ese día no hubo más diálogo. Ni volvió a haberlo en el futuro.

Al poco, llegó otro homeópata, también médico graduado en la Universidad Nacional. Al año siguiente ya eran tres. Tomás decidió que ya no le importaba. Es luchar contra molinos de viento, se dijo. En el fondo de su corazón, pero muy en el fondo, tenía la esperanza de que tres homeópatas fueran demasiados invitados para una tarta tan pequeña como era el pueblo y decidieran regresar a Bogotá. Al fin y al cabo, en Bogotá todo se vende.

Tomás, cuando está de buen humor, relee con su hija las obras de Molière. Se consuela con una frase que está en *El médico a Palos*: «Así va el mundo. Muchos adquieren opinión de doctos, no por lo que efectivamente saben, sino por el concepto que forma de ellos la ignorancia de los demás». Triste consuelo. Es mejor que nada.

EL GALLO GANADOR

Debo confesar que, cuando era joven, me entusiasmaban las riñas de gallos. En aquellos tiempos nadie hablaba de *manifestaciones culturales crueles* para referirse a las corridas de toros o peleas de gallos finos. Las riñas tienen una larga historia. Los españoles las introdujeron en el Nuevo Mundo durante la colonia. Antonio Pigafetta, el cronista de la expedición de Magallanes, cuenta que en Filipinas era una práctica habitual. Y lo sigue siendo. Las riñas de gallos ya existían en la Roma antigua y en la India. Hoy están prohibidas casi en todas partes, incluso en España, aunque en Andalucía las sigue habiendo en forma clandestina. Nadie creería que en Bélgica las peleas de gallos fueron muy populares. En Inglaterra eran la principal diversión del Martes de Carnaval, es decir, el martes anterior al Miércoles de Ceniza.

Hoy los galleros tienen tanta mala prensa como los aficionados a la tauromaquia. Yo disfrutaba mirando los gallos finos de pelea. Le ponía mucho cuidado al color vistoso de las plumas. No era mal visto que niños y jóvenes asistieran a las galleras, en las que se apuestan sumas de dinero, a veces, grandes sumas de dinero. Fui a muchas riñas de gallos. También asistía a los entrenamientos que hacían los criadores en las calles de la pequeña ciudad en la que viví.

Mi padre era lechero: tenía un camión de estacas en el que recogía la leche de pequeños hatos ubicados en los alrededores de la población. Leche cruda —como dije, eran otros tiempos— que se vendía en los barrios de la ciudad. Un oficio diario, de domingo a domingo. Yo iba en la parte de atrás del camión: era el encargado de medir la leche en cada casa que tenía una *contrata*. Mi padre me pagaba una pequeña cantidad de dinero, que ahorraba diligentemente en una alcancía de barro con forma de cerdo. Un marranito le decimos nosotros.

Aunque no venga a cuento ¿además del oficio del lechero puerta a puerta, el voceador de prensa, el escribiente, el farolero, las lavanderas y el del afilador de cuchillos, cuántos trabajos han desaparecido? Los jóvenes no pueden entender la expresión «es hijo del lechero»: nadie puede ser hijo de una bolsa de leche pasteurizada que se compra en el supermercado.

Algunos días del año, generalmente durante las fiestas patronales, en los pueblos grandes, los galleros organizan desafíos regionales y aun nacionales. El dinero, el aguardiente y las peleas son el pan diario. En uno de aquellos desafíos las apuestas por un gallo de color negro, con plumas amarillas en las alas, alcanzaron a subir muchos ceros.

—¡Pago gabelas! —gritó alguien.

—¡Pago 10 a 1! ¡Pago 20 a 1!

—¡Pago 50 a 1!

Un hombre en particular llamaba la atención: flaco, de cara alargada y el pelo revuelto, apostó una gran cantidad de dinero. Gritaba como un poseso. Un energúmeno. Lo perdió todo. Yo alucinaba.

Tuve la corazonada de que el gallo negro perdería. La firme convicción de que perdería. El gallo rival era un bello ejemplar, de colores muy vistosos —rojo, amarillo, azul, negro y algunas manchas blancas— importado del sur de España, según se rumoraba. Después, imaginariamente, aposté en las tres peleas siguientes. Anticipé el resultado de todas.

Lo vi claro ese día: sería gallero, pues tenía el don de pronosticar el resultado de una pelea. Gallero en el doble sentido, el de apostador y el de criador de gallos. Las riñas se prolongaron hasta la madrugada. Venciendo el sueño, esperé y esperé para poder hablar con el dueño del gallo que había ganado la primera pelea.

—Así es, efectivamente: mis gallos son importados del sur de España, otros los traje de Puerto Rico. O son hijos de esos —me dijo.

—¿Usted vende animales o solo los cría para pelearlos? —le pregunté.

—Yo sí vendo los gallos, pero son costosos. Solo recibo dólares en pago, no recibo pesos —dijo.

—¿Y en dónde tiene el criadero? —le pregunté.

—En El Porvenir, a una hora de Cali.

—¿A qué precio son?

—A trescientos cincuenta dólares cada uno... Como le dije, solo recibo dólares. Ah, y hembras no vendo.

Me dio toda la información para llegar al criadero:

—En la estación terminal de Cali, pase la calle que está al frente de la parada de autobuses, ubíquese en la panadería El Trigal, espere la ruta 5, la de color verde y amarillo. Más o menos una hora de viaje. Al llegar a El Porvenir, pregunte por la finca Los Ocobos. Allí mismo está mi criadero.

Tan pronto como terminaron los desafíos gallísticos armé viaje a El Porvenir: rompí el marranito, conté las monedas, fui al banco a averiguar el precio del dólar. Mis ahorros alcanzaban para dos gallos. Y heme aquí que en una semana estaba viajando a El Porvenir. Adquirí un bello animal, de plumas azules, verdes, rojas y amarillas. Con el gallo enjaulado llegué a mi casa. Lo solté en el patio, junto con algunas gallinas, también de raza fina. Era diciembre, última semana del mes. Música, pólvora, licor, borrachos, fiestas. Lo de siempre. Para mi desgracia, unos diablillos de pólvora de los vecinos cayeron al patio de mi casa sin haberse quemado. El gallo se comió uno. Murió más rápido que si se le hubiera dislocado el pescuezo. Era el fin del mundo para mí. O casi.

Frustrado, pero no vencido, otra vez estoy de viaje a El Porvenir. Mis últimos trescientos cincuenta dólares. Regreso a casa. El gallo al patio. Apenas un día después, una perrita beagle de la casa contigua hizo un agujero en la malla que separaba ambos patios: el segundo gallo murió más rápido que el primero.

Ahora sí era el fin del mundo. O, por lo menos, del mundo de los gallos. Vendí las gallinas finas. Dejé de acompañar a mi padre en el negocio de la leche y me puse a estudiar. De eso han pasado más de cincuenta años. Estoy retirado. Vivo en el campo. Procuro no ir a la ciudad. Mejor, solo voy una vez al año a hacerme los exámenes médicos.

Hace unos meses salí a caminar por uno de los caminos reales, es decir los caminos que hicieron los españoles durante la Colonia para unir los diferentes pueblos. A la orilla del camino, vi un muchacho, entrenando unos pollos de pelea con unos vecinos. Debe de tener la edad que yo tenía cuando quise ser rico con las apuestas de peleas de gallos, me dije. El muchacho cuenta que la gallera está cerrada por la pandemia. Entrena a los gallos para estar listo cuando termine la peste.

Le cuento que yo crie gallos hace mucho tiempo. Le pregunto que cómo alguien tan joven, ¡en el 2021!, con todo el ruido que arman los defensores de animales pueda gustar de las riñas de gallos. Me dice que su madre —no conoce a su padre— no ve problema alguno en su particular afición. Incluso que le gusta o, por lo menos, prefiere, que le gusten los gallos:

—Es mejor que seas gallero y no que salgas con los vagos del pueblo a drogarte —le dice. Yo lo miro con simpatía.

En cuanto a mí, creo que ya lo sospechan: nunca me hice rico, ni con los gallos, ni con la leche ni con nada. Ahora soy ecologista. Y vegetariano.

VEREDA DE SAN JOAQUÍN

La familia Guzmán había vivido en San Joaquín desde hacía varias generaciones. San Joaquín hizo parte de una encomienda cuyo beneficiario fue un tal capitán Guzmán, gaditano, de quien las crónicas dicen que durante su primer año en aquellos lares hizo parir treinta indias. José Manuel, el patriarca de la antepenúltima generación dejó nueve hijos, tres mujeres y seis varones. De los varones solo uno, José María, se quedó viviendo en San Joaquín. Las mujeres se casaron muy jóvenes y se fueron lejos. Los demás varones emigraron a la capital o a la selva y se emplearon en lo que pudieron.

José Manuel era el típico finquero de comienzos del siglo XX: católico, conservador, sectario en política, mujeriego, violento. Sin escrúpulos a la hora de cerrar tratos en la venta de ganado, cosechas o préstamos, tomar por la fuerza las mujeres e hijas de los peones.

José María terminó a la edad de veinte años el bachillerato agrícola. Además de él, solo su hermana menor consiguió terminar la normal para enseñar en la escuela básica.

Una de las fortalezas del bachillerato cursado por José María era la experticia en agrimensura. Aprendió a medir, evaluar, identificar y manejar sistemas de información catastral. Un político conservador, amigo de José Manuel, le consiguió empleo como técnico en la implementación de una reforma agraria, uno de tantos fracasos de la década de 1960.

El mismo político hizo que la hija menor de José Manuel accediera a una plaza en la educación pública. Tenía razones: en cada elección, ya sea para el concejo municipal, la asamblea departamental, el Congreso o la Presidencia de la República José Manuel llevaba a los campesinos al casco municipal, como arreando ganado, para que votaran por los candidatos que el político le señalaba. Todo con la bendición del cura párroco que amenazaba con la excomunión a todo aquel que se atreviera a disentir.

José María renunció a la institución encargada de la reforma agraria:

—Eso no tenía futuro. Ni el gobierno ni los ricos estaban interesados en que eso se pudiera hacer. Nunca hubo plata para comprar tierras buenas y darlas a los campesinos. Bueno, al principio sí hubo, pero el mismo director se la robó —decía.

Después de ello consiguió, de nuevo con la intercesión del político de siempre, una plaza de maestro en el mismo colegio del cual había egresado. Los alumnos lo recuerdan como una especie de salvaje, que no se medía ni con los alumnos ni con las compañeras de trabajo.

Finalmente, José María se casó, tuvo hijos e hijas, renunció al magisterio. Con la plata de su mujer, Luz María, les compró a sus hermanos la finca que recibieron en herencia a la muerte de José Manuel. También compraron una casa en el pueblo, pero él se trasladó a vivir en la finca: visitaba a su familia algunos fines de semana.

En cada vacación escolar, todos, mujer e hijos, se trasladaban a la finca. Las mujeres se ocupaban de cocinar a los peones y la comida propia. Y así todos los años. José María trabajaba mucho: todo el tiempo estaba cerrando tratos de ganado, haciendo cercas, negociando cosechas en el mercado, o contrataba cocineras para la peonada.

Sin embargo nunca tenía dinero: Luz María pagaba las cuotas de los bancos, mandaba reparar el techo de la casa, compraba las herramientas. De hecho, José María no gastaba mucho dinero en la comida y salarios de los peones puesto que pocos finqueros, por no decir ninguno, daba trabajo; por eso podía pagar lo que se le antojara. En cuanto a la comida de los trabajadores, le costaba poco: todos los días arroz y pasta sin ninguna sazón, salchichas sin marca, plátanos de la finca.

En una ocasión, casi se mete en un problema grave: un día muy soleado se accidentó una cabra macho y murió. José María recogió el animal, que debería llevar al menos medio día muerto, lo coció con cebollas y papas y dio de comer a la peonada. La intoxicación en la vereda fue general: los peones vomitaban de manera horrorosa; al final todos quedaron como si hubieran sido apaleados, blancos como el papel.

Las hijas de José María se casaron al poco de terminar la universidad. Le dieron ocho nietos. Al final, los varones también se casaron. Luz María murió al poco de nacer su último nieto. Ya no necesitaba ir a la casa del pueblo. José María, menos de un año después de enviudar, llamó a sus hijos para anunciarles que se iba a casar:

—Hijos, un hombre solo no vale para nada. ¡Me voy a casar! No es que haya olvidado a su mamá; estoy seguro que ella desde el cielo me está bendiciendo.

Al principio, hijos, familiares y vecinos se lo tomaron a risa. Entre ellos su nieto favorito, joven abogado, que se mostró conforme y aun entusiasta con la decisión del viejo:

—Me parece bien, abuelito. Yo haré el discurso en la fiesta —le dijo.

Ya en casa, el nieto preferido del abuelo diría a su madre:

—José María es todo un personaje, mamá. Si no fuera mi abuelo sería muy divertido, pero yo iré a la boda.

La madre dijo de manera rotunda:

—Irá usted, porque yo no pienso ir a ese matrimonio. Esa mujer seguramente era la amante de su abuelo cuando mi mamá todavía estaba viva. ¿Cómo es que ni siquiera ha pasado un año y ya se va a casar? ¿Cómo se llama esa mujer?

—Patricia Lucrecia, mamá.

—Qué nombre tan feo. Ni siquiera rima —dijo la madre.

En dos semanas estuvieron listos los preparativos de la boda. La vereda en pleno asistió a la ceremonia. Del templo pasaron a la casa de la finca, debidamente adornada con festones, orquídeas. Una vaca en el asador, barriles de cerveza y varias mesas bajo una enorme carpa esperaban a los invitados a la boda del caporal de San Joaquín.

José María saludó a todos, les pidió que tomaran asiento y callaran para escuchar a su nieto. Vale la pena reproducir una parte del socarrón discurso del nieto:

—José María y Patricia Lucrecia, en sus nombres está resumida la historia de la fe y la cultura. La iglesia bautizando el paganismo.

»Abuelo, llevas el nombre de José, el padre del Salvador de los hombres, y llevas el nombre de la madre de Jesús, María. Tu nombre es un pesebre navideño: José y María. En la mula de carga y el buey del arado de la finca queda resumida la civilización cristiana.

»Tú, Patricia Lucrecia, eres expresión del mundo pagano, de la Roma Eterna que nunca muere. Patricia, llevas el nombre de la aristocracia romana. Tu nombre te distingue de la plebe. Y para más decir, llevas el nombre de la más ilustre matrona de Roma, quien de manera incansable se entregó al hilado de la lana en compañía de sus criadas hasta bien entrada la noche a la luz de las lámparas, en la dulce espera de su esposo. Pretendida por el libidinoso hijo de Tarquino, el último rey de Roma, Lucrecia prefirió la muerte al deshonor, lo que Agustín de Hipona califica como expresión del orgullo pagano.

»Se equivoca Agustín: con la muerte de Lucrecia muere la monarquía y nace la República. A ustedes, José María y Patricia Lucrecia, les corresponde hacer nacer la república, la cosa de todos, en la vereda de San Joaquín. Que las dificultades de construir la ciudad de los hombres —que Roma no se hizo en un solo día— sean atemperadas por el bálsamo de la fe cristiana. Nunca se ha visto una pareja con nombres más propicios para hablar de la ciudad fraternal. Patricia Lucrecia y José María, hagan de San Joaquín una nueva Filadelfia, la ciudad del amor fraternal.

El aire circunspecto del abuelo y la peonada contrastaba con la leve sonrisa burlona del nieto y sus primos. El abuelo se creyó obligado a responder al discurso. Hizo pasar a todos sus nietos adelante, acompañando al orador. Solo uno de ellos se negó a pasar, más preso del bochorno que de la risa.

Las palabras del abuelo novio fueron cortas pero expresaron que todavía no había llegado la hora de Filadelfia, la hora del amor fraternal. Dirigiéndose a sus nietos, señaló con la mano derecha a los habitantes de San Joaquín y dijo con voz fuerte:

—¡Nietos, ahí está San Joaquín!

Luego, haciéndose del lado de los campesinos, señaló a los nietos y dijo:

—¡San Joaquín, mis nietos!

Los campesinos asintieron y aplaudieron rabiosamente.

EL ABUELO Y EL CURA

De los cuatro abuelos que tenemos, solo conocí a uno. El abuelo materno. Se llamaba Nicolás. De los hijos de mi madre yo soy el segundo, después de mi hermana mayor; me siguen dos hermanas. Como mi madre era hija única, soy el único nieto varón. O eso creo.

Yo era muy cercano a mi abuelo. Todos los fines de semana, desde siempre, dormía los viernes y los sábados en la casa del abuelo, quien vivía solo.

En el sur de Colombia, las vacaciones escolares largas van desde la mitad de junio hasta la primera semana de septiembre. Como en Europa. En el resto del país, las vacaciones son en diciembre y en enero. A mí me gustaba que fueran a mitad de año, porque en esos meses es verano, hace mucho calor y mucho viento, por lo que podía hacer las cuatro cosas que más me agradaban: nadar en el río, pescar, elevar cometas y hablar con mi abuelo.

Mi abuelo era liberal, de los de antes, de cuando existían liberales y conservadores, doctrinarios. Pero era un liberal un poco extraño. Por ejemplo, asistía a misa los domingos. Nunca se quedaba hasta el final de la ceremonia religiosa, porque decía que apenas terminaba la consagración del pan y del vino se acaba la misa, y lo que seguía no era importante. Por eso nunca estaba en el momento en que los fieles se dan la paz, comulgan y esas cosas.

Al principio pensaba que iba a misa para encontrarse con los amigos, pero como no saludaba a casi nadie concluí que era por otra cosa. Cuando yo era más grande, tal vez de unos doce años, me dijo que iba a misa solo a la parroquia de San Miguel, porque el párroco —nunca lo cambiaron hasta que se murió— era un compañero del colegio.

Por eso supe que el abuelo había estado en el seminario menor. Sus padres, es decir, mis bisabuelos pensaban que tenía aptitudes y vocación para el sacerdocio y lo matricularon en el seminario a los diez años. No es un chiste. En aquellos tiempos las cosas eran así. Allí conoció al párroco de San Miguel. Mi abuelo solo estuvo tres años en el colegio seminario. Mejor dicho, hasta que llegó la adolescencia y, con ella, las hormonas.

Hablando de hormonas, cuando el abuelo murió, durante su sepelio —fue más una fiesta que un momento fúnebre— llegaron un montón de viejos que se extendieron contando anécdotas, travesuras terribles del colegio, del barrio o del seminario, muchas de las cuales tenían que ver con las maromas que hacían para hablar con las muchachas.

La verdad es que algunas de esas historias las conocía por boca del mismo abuelo. Un día me contó que la primera mujer con la que había tenido sexo era con una prima, varios años mayor. Y, al menos, un palmo y medio más alta. Ya no se utiliza la expresión palmo y medio: son más o menos treinta centímetros. Como tenían que hacerlo de urgencia, aprovechaban cualquier momento de descuido de los padres del abuelo o de la prima. Lo hacían de pie. Para ello utilizaba un ladrillo suelto que estaba en el patio de su casa. Cuando iba a la casa de la prima, como allá no había ladrillo, llevaba el ladrillo en su maleta escolar.

Después de esta iniciación tan familiar, el abuelo se dedicó con singular energía al cultivo del amor, es decir del deseo. Un día me contó —y los viejos que asistieron a la fiesta de su sepelio lo confirmaron— que había sido promiscuo, pero nunca promiscuo de lupanar.

—Es que yo tenía demasiada energía, mijo. A cada hombre le corresponden siete mujeres. Y como mis tres hermanos mayores son célibes, a mí me tocan veintiocho. Para no desmejorar el promedio nacional —me dijo un día.

En su tiempo era un libertino. Hoy se diría que era un depredador.

Mi abuelo se casó con mi abuela a los dieciocho años. La abuela tenía un año menos. Quienes se asombren de ello, deberían saber que antes era así. Romeo, el de Julieta tenía unos diecisiete años y Julieta trece. Y Julieta era grande si se compara con Remedios Moscote, la del coronel Aureliano Buendía, que ni siquiera había cumplido los diez años.

Y como todos los libertinos, se cuidó mucho de que mi abuela, a quien solo conocí en fotografía, fuera lo opuesto a él —casta, virginal, modosa, muy de su casa—… De una belleza singular, perfil griego, parecía esculpida a voluntad de mi abuelo. Era la hija menor de un hacendado venido a menos. Se casaron a escondidas, porque la fama del abuelo era larga y la madre de mi abuela decía que no estaba para esos trotes.

Dicen que mi abuela, como también era costumbre, toleraba las aventuras de mi abuelo. No se resignaba a su suerte, o, mejor, a su mala suerte de haber nacido mujer en aquellos tiempos. Alguna vecina que lo vio ocupado en los menesteres del amor en un parque distante, corrió a contarle a la abuela lo que había visto. Más le valía que no lo hubiera hecho.

—¡Su merced, cuénteme algo que yo no sepa! Mejor dicho, si algún día usted lo ve con hombres, cuénteme cuanto antes, para echarlo de la casa.

Volvamos al cura compañero de mi abuelo. Lo que recuerdo de las misas incompletas es que el cura hablaba muy bien. Tenía el don de la oratoria sagrada, decía el abuelo. Creo que lo decía con ironía, porque una vez afirmó que lo más fácil del mundo era la oratoria sagrada, pues se trataba de hablar bonito, apelando a los sentimientos y a los anhelos más hondos de la humanidad, pero nada más, porque en el fondo no hay nada. En todo caso, gustaba de ir cada domingo a escuchar los sermones de su amigo.

A veces, ni siquiera nos quedábamos hasta la consagración del pan y el vino: apenas el cura terminaba el sermón nos íbamos para la casa. Pero antes pasábamos por una pastelería que estaba a menos de una cuadra del atrio de la iglesia. Yo era el que entraba, él aguardaba unos metros más delante de la puerta. Una mestiza de ojos grandes, dulcemente tristes, labios gruesos, larguísimas piernas, abultados senos, largos cabellos peinados en trenza que le llegaba a la mitad de la espalda, me entregaba una bolsa de papel con corazones de hojaldre untados de chocolate; otras veces la bolsa traía pasteles de carne y queso o empanadas de espinaca con *ricotta*. Yo no tenía que decir nada. Tan pronto como yo entraba a la pastelería, con una sonrisa la mujer me entregaba los pasteles y me mecía suavemente los cabellos. Esa fue una de las primeras lecciones de mi educación sentimental.

El cura no solo tenía fama de buen orador. También tenía fama de santo. Las personas mayores decían que el cura no hacía milagros por falta de tiempo. Muy virtuoso, decían las viejas de la parroquia. Las limosnas eran generosas. Un día le dije a mi abuelo lo de los milagros que el cura no hacía por falta de tiempo, me dijo que ya era hora de contarme una historia, porque ya estaba en edad de «entender algunas cosas».

—Cuando yo me casé con su abuela éramos muy jóvenes. Y como nos casamos a escondidas, mis papás no quisieron ayudarnos. Nos tocó alquilar una pieza con baño en casa de una viuda cincuentona —me contó.

De hecho, los padres de mi abuela no se enteraron del matrimonio hasta varias semanas después, porque la abuela siguió viviendo en la casa paterna como si nada hubiera pasado. Un día, el abuelo se armó de valor y, con partida de matrimonio en mano, se fue a ver a sus suegros, mis bisabuelos. «Ni modo, el mal está hecho. Hay que respetar la voluntad del Señor», dijo la bisabuela. Así fue como empezaron su vida matrimonial mis abuelos. En la adolescencia.

El abuelo trabajaba en la oficina de correos. Un día en que la abuela, después de la reconciliación, había ido a visitar a sus padres, entró a la casa en la que estaban viviendo. Cuál no sería su sorpresa al pasar por la sala de la casa y ver al joven cura, su amigo —que no tendría más de un año de haber recibido las órdenes sagradas— sentado en el sofá de la sala, con la sotana levantada hasta la caderas, sin los pantalones —como falda de escocés, sin calzoncillos debajo— y la casera en similar facha: con la falda en la cintura, sin calzones, el culo al aire y cabalgando cual feroz amazona en el curial potro. Tal era el ardor del momento que ni la casera ni el cura suspendieron su faena. El abuelo siguió, fingiendo que no había visto nada, caminando lentamente hasta su habitación, ubicada al fondo del corredor.

Muchos años después miré una muestra de arte japonés, la que llaman imágenes de primavera —o *shunga*— un eufemismo para referirse al arte explícitamente sexual de los siglos anteriores al XX. Una de las imágenes mostraba un samurái con el kimono levantado hasta la cintura, la katana en su sitio, quien recibía el embiste de una mujer de blancas nalgas, también con kimono más arriba de la cintura. De hecho, yo tenía perdido en los pliegues del tiempo la historia del cura y la casera de mis abuelos. Fue gracias a la exposición de las imágenes de primavera que volví a recordar la anécdota de mi abuelo. La escribo para no volverla a olvidar.

El domingo siguiente el cura le hizo señas a mi abuelo para que lo esperara hasta después de la misa. Tal vez fue la primera y última vez que el abuelo escuchó una misa completa. No, la segunda. La primera fue la de su matrimonio. Fue un diálogo muy corto:

—Nicolás, no te preocupes por lo que viste. Eso no es pecado. Lo que es pecado es el escándalo, no el hecho en sí —dijo el cura.

—De acuerdo, así es —replicó el abuelo.

Cuando la abuela llegó de la casa de sus padres, el abuelo ya tenía empacados los pocos haberes que tenían entonces. Dos maletas y tres cajas. Ante la sorpresa de la abuela, simplemente dijo:

—Nos vamos. No podemos seguir aquí.

La abuela no dijo nada. Lo que ella pensara no importaba. No solo mi abuela: importaba poco lo que pensaran todas las abuelas del país. La abuela nunca le preguntó la razón de esa mudanza tan repentina. Yo, en cambio, sí le pregunté:

—Mijo, nos mudamos porque no quería que la gente pensara que mi amigo cura entraba a la casa por mi mujer, que era jovencita y bonita. Nadie creería que el cura iba por la vieja. Mijo, es que en la vida no se trata solo de ser. También hay que parecer.

CAMBIO CLIMÁTICO

Año 2030. Daniel ha dejado su lejana Irlanda, para refugiarse en lo que debe de ser el último rincón de un mundo que se está viniendo abajo. Vive en una pequeña finca, a poco menos de medio kilómetro de la playa, y a poca distancia de una montaña fresca en la que crecen árboles gigantescos a orillas de los ríos que nacen por el deshielo de uno de los escasos nevados que quedan en el mundo. Diez años después ya no quedan hielos, tampoco ríos ni árboles.

Daniel pone fin a sus días: no quiere morir rodeado de inmundicias.

APRENDIZ DE MINERO

Voy a contar una de las pocas historias de emprendimiento —así se dice ahora— que he tenido en mi larga vida. Fue hace muchos años. En cambio, los demás miembros de mi familia podrían hacer suya la frase de Mark Twain acerca del hábito de fumar, pero con empresas: «dejar de fumar es muy fácil, yo lo he hecho como cien veces».

Lo que voy a contar es especial. Porque fue la primera y casi la última al respecto: en eso soy distinto al resto de mi familia. Yo aprendí muy pronto que en la búsqueda del dinero, muchos son los llamados y pocos, poquísimos, los escogidos.

Mis padres malvivían en la capital del país. Parecía que nada se les daba. Me contaron que habían tenido un pequeño restaurante, una floristería, una cristalería. Mi padre, militar retirado, no sé por qué razón —nunca le pregunté—, era experto en sistemas electorales. Conocía al dedillo toda la legislación electoral: curules, cifra repartidora, método D'Hondt, escrutinios, votos inválidos, votos nulos, períodos de concejo, Asamblea, Cámara y Senado y toda la demás pompa, que le hace creer a la gente que vive en una democracia y que elige a sus gobernantes.

Mi padre era miembro del Partido Liberal. Fue nombrado, gracias a la intercesión de un político amigo, registrador para las elecciones de 1962 en una pequeña población de menos de tres mil habitantes, capital de una de las divisiones administrativas de la región amazónica de Colombia, casi en la frontera con el Perú. De hecho, yo nada recuerdo de la época en la que vivíamos en Bogotá. Mis primeros recuerdos datan de nuestra vida fronteriza. Allí aprendí a leer. No fui mal estudiante, pero tampoco gané medallas de excelencia: ríos y quebradas llenos de peces y charcos para ir a pescar y nadar —y no ir a clase— lo impedían.

Al lado de mi casa se estaba construyendo un edificio de la Secretaría de Educación. Se demoró muchos años en terminarse y ponerse en funcionamiento. Hay cosas que nunca cambian.

Uno de los vigilantes de la obra en construcción tenía el nombre más pintoresco que haya conocido nunca. No espero que lo crean: se llamaba Lenin Marx Bolívar Bambaué. El segundo apellido era indígena. Entrado en años, pequeño, enjuto, piel tostada por el sol abrasador y la humedad extrema de la selva, era muy fuerte. Contaba que cuando él llegó a la región no había más que un par de cientos de habitantes.

Lenin Marx era tuerto. Me dijo que había perdido un ojo por el ataque de un jaguar, aunque Concepción, una anciana amiga de mi madre, que había llegado a la región antes que Lenin Marx, dijo que no era verdad, que el ojo lo había perdido en una pelea de borrachos. Su contendiente se lo había vaciado con una botella de cerveza despicada. A mí me gusta lo del jaguar, aunque la pelea de borrachos era verosímil. Su mujer lo acompañaba cada mes a recibir el salario —en aquellos tiempos no había cajeros automáticos, ni nada de eso— y se quedaba con todo el dinero, salvo unos pocos pesos que le dejaba para los cigarrillos. No le alcanzaba para el aguardiente y las cervezas.

Lenin Marx era una biblioteca de la selva. Todos los días, al caer la tarde, yo iba hasta la construcción a escucharlo. Así conocí algunas historias de la guerra con el Perú a inicios de los años treinta, las costumbres de los indígenas, la prisión selvática en la que el gobierno colombiano encerraba los delincuentes más peligrosos del país, la supuesta llegada de criminales de guerra nazis que se escondieron en la selva para evitar ser capturados después de la II Guerra Mundial. Supe de las serpientes, que no muerden, cuyo contacto con ellas produce una gangrena imparable que termina con la muerte de la víctima; también escuché de la hembra de una clase de serpiente que busca, para dar muerte, a quien haya matado al macho.

Yo podía ir a escuchar a Lenin Marx todos los días menos los viernes: me dijo que los viernes siempre estaba ocupado. Como yo lo miraba llegar por la mañana, me intrigaba saber por qué los viernes no podía ir a escucharlo. Me di la maña de averiguar qué pasaba: cada viernes a mediodía y hasta el sábado en la mañana lo acompañaba una mujer joven. Un día que Lenin Marx estaba con unas cervezas de más me contó que era una amiga, a quien quería mucho. Su amiga le pedía alguna ropa, algún perfume, una joya. Le pregunté que cómo hacía para comprarle esas cosas si su mujer se quedaba con todo su salario. Me contó que él tenía otra fuente de ingreso que no controlaba su mujer: era minero de fin de semana, festivos y vacaciones.

Con Jorge Bermeo, un obrero de construcción, viejos amigos, Lenin Marx, se dirigían a un río situado en medio de la selva, a unas tres horas de camino de la cabecera municipal. El *Río Sin Prisa*. Nunca había oído hablar de él. Le pregunté si podía acompañarlos. Me dijo que sí, que le pidiera permiso a mis padres. Mi madre, cómplice mía en todo, me dio permiso, pero que «su papá no se entere».

Los dos viejos y yo, con dos bateas de cedro, una barra de acero y dos palas, muy temprano nos dirigimos al Río Sin Prisa. El calor húmedo de la selva es asfixiante. Al fin llegamos. No estaba preparado para ver lo que, todavía hoy, creo que es el espectáculo de la naturaleza más bello que haya visto nunca: un pequeño río que se desliza perezosamente, encajonado en un profundo y angosto cañón por el que se desliza. No es un río común y corriente.

El lecho del Río Sin Prisa está formado por enormes piedras de granito. El agua del río, durante miles de años ha ido labrando en decenas de pozas en las rocas, algunas de varios metros de profundidad. Aguas cristalinas llenan las pozas, que se desbordan en forma de diminutas cascadas para llenar la poza siguiente. Como el río va por un estrecho cañón, el calor y la luz del sol solo duran una hora hacia el mediodía. Antes y después de eso, la sombra que proyectan las altas paredes y la suave brisa que trae el río crean un ambiente de ensueño; un oasis en medio del sofocante y húmedo calor de la selva. Miles de pequeños peces, de los más variados colores, llenan las enormes piscinas que ha labrado el paso de los siglos, todo envuelto en el canto de cientos de aves de vivos colores.

La verdad es que no tuve tiempo para buscar oro: me sumergí en las frías aguas del Río Sin Prisa, dejé que los pececillos me mordieran los pies, traté de identificar qué ave hacía tal o cual sonido, recorrí las pozas río abajo y río arriba. Me parecía que los dos viejos y yo éramos los primeros humanos en asomarnos a ese rincón del mundo. No me hubiera extrañado que, de repente, un pterodáctilo hubiera llegado al cañón del río para llevarse una serpiente gigante. Los dos viejos tampoco hicieron nada: no encontraron una sola pepita de oro.

La semana siguiente se me antojó eterna. El sábado por la mañana, muy temprano, sin siquiera desayunar, estaba en la casa de Lenin Marx para ir al Río Sin Prisa. Nada más llegar ya estaba metido en una poza. Un grito de alegría de Lenin Marx me sacó del río: en el fondo de su batea de cedro había una pepita de oro de unos tres gramos. Brillaba con fuerza. En el resto del día, en un solo hueco cavado en la orilla del río, encontraron varias más. En total, casi cincuenta gramos, les dijo el joyero del pueblo. Las tres semanas siguientes no hubo viaje al río. Lenin Marx fue visitado más a menudo por su amiga.

Yo no podía esperar tanto. ¿Por qué no ir solo? O, mejor, por qué no ir con alguien conocido, en quien pudiera confiar el secreto de la fortuna. Yo debía de tener unos catorce años. Lo sé porque estaba estudiando los casos de factorización del álgebra de Baldor. Conmigo estudiaba un indígena, mayor, pues estaba casado y tenía dos hijos pequeños. Se llamaba Joe. Tenía una finca a unos tres kilómetros del barrio en el que estaba mi casa. Joe, quien había abandonado el colegio muchos años, tenía dificultad con las matemáticas. Yo era el único que le ayudaba con eso. Podía decirse que éramos amigos. Lo cité en mi casa y le conté mi secreto.

Tan pronto como llegó el fin de semana, fui a la finca de Joe. Lo primero era hacer unas bateas en cedro. Pala y barra las teníamos. Yo no sabía cómo era un cedro. Pero Joe sabía en qué parte de una montaña había cedros, cortados tiempo atrás. Troncos de color rojo de medio metro de altura salían entre las hierbas. Joe con el hacha cortó dos cilindros de unos quince centímetros de alto y unos cincuenta centímetros de diámetro. Con un machete les fue dando forma a las bateas. Les hizo las orejas para agarrarlas, como un plato de sopa pero menos profundo. Al centro de la batea, hizo una muesca de unos dos centímetros de diámetro: el oro se deposita allí… Parecía que hubiera hecho eso toda la vida, y la verdad es que no: yo le iba diciendo cómo eran las bateas para sacar oro y él le iba dando la forma al cilindro de cedro.

Como dije antes, solo se necesitaba una pala, una barra y una batea. Y ambición. En aquel entonces, o por lo menos Lenin Marx ni Jorge usaban —creo que ni siquiera lo conocían— el azogue o mercurio, que utilizan los mineros de hoy para capturar las pequeñas partículas de oro, las cuales se sedimentan en el fondo de la batea de aluminio o hierro. Ya no son de cedro. El oro se mezcla con mercurio, formando una pasta que se somete a altas temperaturas para evaporarlo y dejar el oro solo. Ríos, peces, plantas, mamíferos y hombres se enferman y mueren por el mercurio que se evapora o contamina las aguas. Nada escapa a su poder maligno.

Llegamos al Río Sin Prisa. Hicimos un hueco en la arena hasta tocar la roca del fondo. Suaves movimientos de la batea de cedro, inclinándola a izquierda y derecha, iban desechando las piedras y dejando en el hoyo del centro una arenilla negra muy fina. Nada.

Nada de nada. Después de dos horas buscando la esquiva fortuna, mejor nos dedicamos a nadar en las pozas.

Pero al sábado siguiente, la suerte cambió un poco. En el mismo sitio en el que habíamos fracasado la semana anterior, encontramos unas pepitas, pequeñas, pero pepitas de oro al fin y al cabo. Así transcurrieron varias semanas. Lo que encontrábamos se lo llevábamos al joyero del pueblo para que lo pesara y lo partíamos por mitad. Yo no lo quise vender: cada semana las pepitas las guardaba en un frasquito transparente de vidrio, de esos en los que viene la penicilina en polvo, para ser mezclada con agua destilada y aplicada a los enfermos. Creo que nunca junté más de veinte gramos.

Los resultados escolares se resintieron con la búsqueda del oro. No sé si todavía existan las reuniones bimestrales, en las que se entrega a los padres un informe de notas y conducta de sus hijos, pero recuerdo con lujo de detalles la llegada a casa de mi padre —él era quien recibía las calificaciones—: se sentó en el sofá de la sala. No decía nada. Creí ver una lágrima en su rostro. Después de unos minutos interminables, dijo:

—¿Esto qué es?

—Mis notas —le contesté.

Furioso, se levantó de la silla y se fue. Yo había perdido todo. Hasta la risa. Lo único que aprobé fue disciplina. Mi madre me contó luego que, cuando él recibió mis calificaciones, se las devolvió al director del curso pensando que se había equivocado de libreta. El profesor le dijo:

—Papá, de su hijo ya no queda ni la sombra de lo que era. Es un vago. No hace nada. Nunca entrega una tarea. Está distraído todo el tiempo. Sería bueno que averiguara a ver si está consumiendo marihuana.

Mi madre sí sabía lo que estaba pasando. Era el oro. Pero no se lo dijo a mi padre. Simplemente lo convenció de que, para evitar problemas, debían enviarme a estudiar a una fría ciudad universitaria, para que «haga un buen bachillerato y pueda entrar a la universidad». Pero esa es otra historia.

¿Qué pasó con la mina? Ya debidamente aconductado, meses después recibí una carta de mi madre, en la que me decía: «su compañero de mina, no Jorge, sino el otro, Lenin Marx, murió de un infarto». Un tiempo después murió Jorge también.

En las vacaciones siguientes no me dejaron volver a casa: me tocó quedarme para evitar tentaciones, pero en las del año siguiente sí lo hice. Joe ya no estaba estudiando. Fui a su finca pero ya no vivía allí. El nuevo dueño me contó que Joe vendió todo y se fue selva adentro. Me dijo que ahora cultivaba hoja de coca. Y que estaba «riquísmo». No sé si es verdad. Mi padre murió. Su tumba está allá.

Desde entonces solo he regresado dos veces. La primera vez, para asistir al sepelio de mi padre. La segunda, cuando fui a buscar a Joe. Mi madre dejó la selva y regresó a casa de su padre, mi abuelo materno. Un día le pregunté por el frasquito con el oro que nunca me llevé. Me dijo:

—Con el oro que dejaste, mandé a reparar unas joyas que estaban rotas.

De esa manera terminó mi vida como minero.

DE CURAS, YUGOSLAVOS, BACTERIAS Y REPRESAS

I

Esta historia pasó hace medio siglo. María Antonia estaba feliz, tal vez menos que hoy, pero estaba muy feliz: era la primera de su familia que había ido a la universidad. La primera en tener un título. Se acababa de graduar como bacterióloga. Estaba lista para hacer pronósticos, diagnósticos, vigilar enfermedades y prevenirlas. Estudió en una universidad femenina, donde incluso los docentes eran mujeres, salvo el profesor de Bioquímica, un octogenario de malas pulgas. Como formación complementaria, tomó algunas clases en la Facultad de Trabajo Social. Formada religiosamente, estaba lista para dedicarse «al servicio del prójimo».

Hay quienes recuerdan la segunda mitad de los años sesenta de un modo bastante estereotipado: sexo libre, pelo largo y hippies, cannabis con desmesura, réplicas del mayo francés, rock and roll, píldoras anticonceptivas y minifaldas.

—Eso tiene que haber pasado en París o Nueva York, porque aquí, en Bogotá, eso no pasó. O, por lo menos, yo no vi nada de eso —dice María Antonia.

Creo que es verdad. María Antonia, tal vez, no vio nada: un internado de monjas en la secundaria, una universidad femenina con arquitectura de claustro y una pensión para universitarias regida por severas monjas españolas, lo explican todo.

Análisis de muestras de sangre, exudados, coproanálisis, supuraciones y otros tipos de fluidos tomados entre las mismas compañeras o entre sus familiares, pensaba María Antonia, la habían preparado para ser una policía insobornable de bacterias, gérmenes y virus.

El primer trabajo de María Antonia fue el llamado *año rural*, una especie de servicio social con una paga modesta, en San Lorenzo, un pequeño pueblo ubicado en las montañas, apenas a una hora en land rover desde su casa paterna. Es el único pueblo que, en lugar de tener en la plaza central una estatua de Simón Bolívar, del fundador del municipio o de cualquiera de los próceres de la independencia ¡tiene una estatua de Jesucristo! Una teocracia, al estilo antiguo, con predominio del poder espiritual sobre el temporal. Tal vez la más lograda expresión del *utrumque gladium*, la teoría de las dos espadas del teólogo medieval San Bernardo.

El cura párroco y su hermana monja, asentados durante más de cuatro décadas en el municipio, eran la causa de esta antigualla. Las gentes del lugar todavía hoy se refieren al cura, muerto hace décadas, como «Monseñor»: «Monseñor construyó el colegio, Monseñor hizo el hospital y el acueducto y la escuela de artes y oficios, y la escuela de música»… Monseñor esto y aquello y lo de más allá.

María Antonia se sentía en casa. O, por lo menos, no extrañaba ni el colegio de las monjas, ni el internado ni el claustro universitario.

II

A menos de cincuenta kilómetros de la teocracia rural se encuentra Bogotá. En aquel entonces una ciudad de un poco más de un millón de habitantes. En realidad no podía crecer más porque carecía de fuentes de agua para atender a una población mayor. Todas las corrientes cercanas ya se utilizaban a tope.

Dentro de la jurisdicción del pueblo se encuentra un páramo. Un regalo de la naturaleza. Hay menos de cinco países en el mundo que tienen páramos. Los que saben dicen que un páramo es una «fábrica de agua», incluso en verano. Miles de pequeñas cascadas se precipitan por rocas revestidas de líquenes de mil colores, formando quebradas y ríos que corren hacia la vertiente del Orinoco. En el bosque de alta montaña viven a sus anchas los osos de anteojos, las dantas, los venados de cola blanca.

—Bogotá necesita mucha agua, y en el páramo hay suficiente agua para veinte millones de personas —dijo un ingeniero. Y los políticos escucharon.

Una presa enorme encerraría el agua de los miles de riachuelos, las gotículas de las nubes y los frailejones. El Banco Mundial financiaría el proyecto, el cual, por cierto, al final costó más de ocho veces lo presupuestado. Una obra colosal, que contemplaba incluso el cambio de vertiente: ahora el agua correría hacia el occidente, a Bogotá, no hacia Venezuela, como era el curso normal del agua del páramo desde hacía millones de años. ¿Quién construiría la presa y los túneles para conducir el agua? Yugoslavia, país comunista, pero no estalinista, entró a hacer parte del Banco Mundial. En recompensa, este adjudicó el contrato a la compañía Konstruktor, de Split, hoy República de Croacia.

III

Decenas de yugoslavos, entre ingenieros, economistas y maestros de construcción, llegaron a la pequeña teocracia, para sorpresa y espanto de sus habitantes. El cura y su hermana tronaban desde el púlpito en contra de «esos extranjeros comunistas que, de seguro, se irán al infierno». Las madres fueron alertadas para que pongan a buen recaudo a sus hijas de «esos demonios que ni siquiera hablan cristiano».

Como ovejas espoleadas por border collies, los hijos de la parroquia no hablaban nunca con los yugoslavos. Se negaban a venderles en las tiendas, restaurantes o la plaza de mercado. Ni siquiera los atendían en los bares. Pero solo durante las primeras semanas. Poco a poco, empezando por las cantinas y terminando con las hijas puestas a buen recaudo por las madres temerosas, los yugoslavos terminaron haciendo parte del paisaje. Tal vez los economistas tengan razón cuando afirman que los individuos se mueven por incentivos. Solo por incentivos. ¿O no?

IV

María Antonia fue nombrada en propiedad, justo a las pocas semanas de la llegada de los yugoslavos. En cuestión de días empezó a verlos rondar por los pasillos del hospital. El médico de turno la llama a su consultorio:

—María Antonia, necesitamos tomar una muestra de líquido seminal de este paciente.

—¿Qué, doctor?

—Que necesito una muestra del líquido seminal del paciente.

—¿Ah?

—¿María Antonia, qué pasa? ¿No sabe cómo se hace? ¿No lo hacían ustedes en la universidad durante las prácticas?

—Doctor, ese examen nunca lo hicimos. Pero si usted me dice cómo se hace, yo lo hago.

—María Antonia, es fácil. Primero haga que el míster se agache sobre la mesa, se baje los calzones y la ropa interior. Que abra un poco las piernas. Después, métale el dedo índice de su mano derecha en el recto. Busque la próstata. Masajee suavemente unos minutos y recoja el líquido que sale por la uretra. Haga un cultivo. Analícelo. Yo creo que este gringo tiene una venérea.

—Doctor, primero muerta, antes de hacer una cochinada de esas. Menos con esos viejos sucios.

El médico no podía de la risa. El yugoslavo, que no entendía nada, miraba perplejo al médico y a María Antonia.

—María Antonia, no se preocupe. Esta vez lo hago yo.

El médico lo hizo esa vez. Y las veces siguientes, porque María Antonia siempre se negó a hacerlo. Los yugoslavos enfermos eran legión. Y seguían enfermando semana tras semana. Al final, María Antonia terminó renunciando al empleo en el hospital. Tal vez por ello, el médico se enamoró perdidamente de ella. Fue a buscarla a su casa. Se casaron después de un corto noviazgo. Hace unos quince años el médico falleció. A su muerte dejó un patrimonio más que modesto, además de una pensión de la que María Antonia hace buen uso. Se ha dedicado a viajar: se anota todos los años en las peregrinaciones que organizan los curas a Europa. Ha visitado Fátima, Loreto, Lourdes, Santiago de Compostela. También ha ido a Tierra Santa.

María Antonia vive en una casa de dos plantas situada en las afueras de Bogotá, sobre los cerros orientales de la ciudad. Desde su terraza se mira el páramo que llena la represa. Sonríe.

—Dios y la Virgen han sido muy buenos conmigo —dice.

Me cuenta que, apenas pase la pandemia del Covid, piensa ir en peregrinación a visitar la Virgen de Medjugorje, en la antigua Yugoslavia.

—Es que mi *diosito* escribe derecho con los renglones torcidos —dice—. Esos yugoslavos fueron enviados por Él. Gracias a ellos vivo muy bien. Y uno tiene que ser agradecido con la vida. Tengo que ir al santuario de la Virgen en Medjugorje para agradecerle por el esposo que me dio y por los yugoslavos que envió para la construcción de la represa.

UN MAIL

Mi amigo Santiago es un exitoso corredor de bolsa. Se diría que tiene olfato para saber dónde ponen las garzas. Espontáneamente optimista, confía en sus instintos y no en el cálculo previsor para tomar decisiones. *Animal spirits,* hubiera dicho el gran Keynes. Ha amasado una considerable fortuna, aunque dista mucho de ser un yuppie de los ochenta. Su simpatía natural hace que les caiga bien a todos, incluso a los que se comportan como yuppies.

Rara vez asiste a restaurantes «fifís» con los compañeros de la oficina. Suele decir: «yo soy muy bruto para comer. A mí me gusta que el almuerzo venga con sopa y seco, que tenga bastante papa, arroz y carne. No quiero pagar un cojonal de plata para que me sirvan en platos de porcelana en forma de triángulo, adornados con un hilillo de chocolate y dos espárragos».

Santiago se ha casado y divorciado dos veces. De natural tranquilo, ambos divorcios han sido, dentro de lo posible, civilizados. Dada su relativa holgura no hace de cada ruptura una guerra económica. Más o menos dispuesto a conceder lo que sus parejas le han pedido, ni en el primero ni el segundo matrimonio firmó capitulaciones. Después de esos divorcios decidió que no valía la pena volver a intentarlo una tercera vez. En adelante, solo relaciones fugaces. Su lema es «aquí te pillo, aquí te mato». Alguna vez me dijo: «hay que ir al ritmo de las oportunidades». Conocí unas cuantas de esas «oportunidades». Cuando una oportunidad acababa ya estaba esperando la siguiente. Una antigua novia de Santiago me dijo un día: «Santi nos tiene a todas en fila, una tras otra… simplemente que no nos damos cuenta». Creo que ninguna lo detesta. Incluso, algunas que se han marchado han regresado.

Amante de las montañas, el vino y la cerveza, las caminatas, la música de Daniel Santos y los tangos, dice ser de izquierdas. «Un radical» dice un amigo común. No cree en los derechos de propiedad intelectual, sobre todo de los libros: escanea, fotocopia, clona sin mayor recato. Todos sus amigos hemos sido objeto de sus *atenciones* al respecto.

Santiago me recuerda al tío Alberto, de la canción de Joan Manuel Serrat. Por cierto, es devoto de la música del catalán. Pensándolo bien, se parece mucho al tío Alberto, salvo que Santiago no gusta mucho de las flores, al menos de las flores de jardín. Su casa ha estado siempre abierta de par en par para sus amigos y nunca ha faltado un plato en la mesa. «Donde come uno, comen dos, donde comen dos comen tres», dice.

Así lo hemos conocido durante años. Hace dos se dijo, *es hora de sentar cabeza*. Como en la canción de Serrat: *lo esperó la sombra fresca/de una piel dulce de veinte* años/donde olvidar los desengaños/de diez lustros de amor. Literalmente, un rayo de luz lo tumbó del caballo. Y hete aquí a Santiago de nuevo marcando tarjeta. Pocas veces lo habíamos visto así. Nos preocupaba. De verdad. Con todo, sin decírselo esperábamos que ese fuera el final del camino. Como en la canción de Serrat.

Así como su casa estaba abierta de par en par, también lo estaban su computadora y su correo electrónico. En aquellos años no existían todavía ni Twitter ni WhatsApp, ni las miles de aplicaciones de hoy. La sombra fresca de una piel de veinte años sentía que su *Santi* no era del todo suyo: demasiadas amigas y amigos, demasiadas llamadas, demasiadas invitaciones a cenar, demasiados encuentros de fin de semana.

Una tarde de un fin de semana cualquiera, en el que Santiago estaba de cumpleaños, los mil caminos recorridos y los innumerables puertos en los que atracó «su» Santi, reales o producto de malas lenguas, fueron demasiados para la piel de veinte años. Meses después Santiago me contó que esa tarde no estaba la sombra fresca en su casa: en su lugar estaban cincuenta kilos de furia.

Santiago hizo gala de sus mejores armas de convicción, habló al corazón de la bella y con el corazón le habló a su razón. Besos, abrazos, historias fueron desarmando el enfado de veinte años… Hicieron el amor como pocas veces.

—Estoy exhausto y hambriento, voy a ir por algo de comida al súper —dijo Santiago.

El súper estaba a menos de una cuadra. Al carrito de compras fue a dar una botella de vino, unos chocolates, un poco de queso curado, otro poco de jamón serrano. «La noche es larga» dijo Santiago. No estaba dispuesto a perder el abrigo de la joven piel.

Santiago regresó lo más aprisa que pudo al apartamento. Ni siquiera esperó el ascensor. Subió las gradas de dos en dos escalones. Entró a su casa. Su abrigo del futuro no estaba en la habitación, ni en el baño, ni en la cocina, ni en ninguna parte. Llamó a la recepción: «la señora salió hace unos minutos a toda prisa», dijo el conserje. La llamó varias veces a su celular. No contestó. Santiago, muy preocupado, fue al computador. Su correo electrónico llenaba la pantalla: un mensaje proveniente de un antiguo cruce de caminos le deseaba feliz cumpleaños, le contaba un chiste y alguna cosa más.

Santiago entendió lo que había pasado. La piel suave de veinte años ahora vive en Seattle. ¿Y Santiago? Santiago sigue temblando con los motores, las muchachas y los vinos.

DE HIGOS A BREVAS

Conozco a mamá Rosa desde siempre, porque ella tiene unos treinta años más que yo. No estamos emparentados, pero todos en la familia le decimos mamá, mamá Rosa. Mis hijos le dicen nona Rosa. Creo que es por una historia sobre una abuela. A ella le gusta que le digan nona.

Mamá Rosa es viuda de un médico muy afamado que murió hace muchos años. Rosa y su esposo eran amigos de mis padres; vivían en la casa de al lado. Sin hijos ni sobrinos, de algún modo nos adoptaron a mí y a mis hermanos.

Rosa era excelente cocinera, como mi madre. Intercambiaban recetas, cocinaban juntas y juntas iban a la plaza de mercado. Con alguna frecuencia, el médico tenía que atender a mi padre quien sufría de ataques de asma y de hipertensión. Mi madre cosía ropa para mamá Rosa.

En casa de mamá Rosa había una enciclopedia, *El Nuevo Tesoro de la Juventud*, en veinte volúmenes, los que leí todos, uno por uno, en orden, cuando cursaba la escuela primaria.

Mamá Rosa, recién casada, vivió en Barcelona varios años: su esposo hizo un postgrado en cardiología en esa ciudad. Allí aprendió a gustar el aceite de oliva, las aceitunas y los vinos —que adoptamos en casa— y un montón de dichos, refranes, amén de innumerables groserías, que no se decían acá. Mi madre se persignaba siempre cada vez que Rosa decía *me cago en Dios*. Ni hablar cuando Rosa se cagaba en la hostia, en la leche, en tus muertos; para elogiar un platillo decía: esto es teta de monja; o el que te folle un pez cuando quería dar por terminada una discusión. Otra frase que repetía siempre a propósito de algo que se demoraba mucho era *de higos a brevas*. Como acá no hay estaciones, no entendíamos lo de los higos y las brevas. Todavía recuerdo su explicación: entre la cosecha de higos y la de brevas hay casi un año de espera, pero unos y otras los da la misma planta, la higuera. Otras veces decía, esto sí poniendo cara muy seria, nunca, pero nunca, digas en dónde estoy cuando te pregunten por mí.

—¿Entiendes, chaval? Si alguien te pregunta por mí y yo no estoy, nunca, nunca digas en dónde estoy, así lo sepas. Sea quien sea.

A diferencia de las otras frases que decía, como aquello de *culo en tierra y plata en mano* o *la que da el beso da el queso*, nunca le pregunté qué quería decir con esa frase tan perentoria. O, mejor, lo hice muchos años después cuando acepté, con mis hijos, una invitación de mamá Rosa a preparar uno de sus postres favoritos, el dulce de brevas.

La elaboración del postre era una especie de ritual sagrado. La noche anterior a la cocción de las brevas se alistaban, una por una, con una serie de pasos que debían cumplirse a rajatabla.

—Primero, le quitan el rabillo que esté muy largo. Después, hacen una cruz al lado contrario. El corte debe ser como de medio centímetro, ni más ni menos… es para desangrarlas —dice mamá Rosa.

Con un pedazo de teja de barro se limaba suavemente la piel de las brevas.

—Apenas lo suficiente para remover los pelillos. En cambio, con las que ya están maduras no se necesita hacer eso, porque ya están lisas —continuó.

Las brevas se dejaron en agua con limón toda la noche.

—Mañana los espero a las ocho de la mañana para terminar el dulce —nos dijo mamá Rosa.

Muy a las ocho de la mañana del día siguiente estuvimos en su casa. Puso en la estufa una enorme cazuela con panela, canela, clavo de olor y estrellas de anís. Esperó más o menos un cuarto de hora desde que empezó a hervir, redujo la llama al mínimo y con mucho cuidado fue poniendo las brevas en el líquido.

—Ahora toca esperar unas dos horas y media, sin remover nada, ni tapar la olla. Hasta que el líquido se haya evaporado casi todo. Cuando estén frías las servimos con arequipe y con quesillo —continuó.

Nos retiramos a la enorme sala que tenía mamá Rosa a oír sus historias. Reímos como locos. Yo fui con mamá Rosa a ver si ya estaban listas las brevas. Los niños y mi mujer se quedaron en la sala jugando parqués. De pronto, me acordé de la advertencia que me hacía cuando era niño.

—Bueno, mamá Rosa, ahora sí quiero preguntarte por qué me decías aquello de *nunca digas en dónde estoy, aunque lo sepas* —le dije.

—¿Nunca te lo expliqué? Bueno, tal vez eras muy pequeño y no quería asustarte.

Mamá Rosa me contó algo que pasó a los pocos meses de su llegada de Barcelona. A su regreso a Colombia, con su marido alquilaron un local en el centro de la ciudad, al lado de la iglesia de la Merced. Lo decoró con sobriedad. Tenía una recepción, con un enorme sofá, un escritorio, teléfono y secretaria vestida como si fuera una enfermera.

—Eso fue en los años cincuenta —dice mamá Rosa—, cuando estaba de presidente un amigo de Francisco Franco. Antes de ser presidente tenía un periódico, en el que hacía propaganda a favor de los nazis. Incluso publicó que Franco había entrado en Madrid ¡dos años antes de que eso pasara! Era un tipo perverso. Solo lo movían el odio y el resentimiento.

»Como de joven tenía cara de mujer y era lampiño, para evitar alguna sospecha, a los que no eran copartidarios, a gritos, los trataba de pederastas, maricones, prevaricadores y ateos. Visitante asiduo de los burdeles, pretendía ser la antorcha moral del país. Lo suyo era el chisme y la maledicencia.

»Los gritos de macho pretendían ocultar lo pervertido que era. Un escritor dijo que se le inflamarían las meninges, de tanto gritar. Así pasó.

»Un profesor de mi marido contó en clase que el presidente, cuando fue embajador en Berlín, frecuentaba un mancebo alemán que le curaba las nostalgias de la patria.

»Y como macho, empujaba a todos a la guerra, pero nunca fue capaz de empuñar un arma. Él fue el responsable de la violencia durante ese tiempo —concluyó mamá Rosa.

Los años vividos en Barcelona habían hecho mella en el espíritu de mamá Rosa. Era antifranquista, liberal, anticlerical y anticonservadora hasta la médula. Pero no le faltaba ni una pizca de razón.

—Esos años fueron terribles. No solo agentes del Estado... también conservadores de misa diaria, salían por las noches a matar y violar en nombre de Dios, porque los curas decían que matar liberales no es pecado —dijo—. Los apodos de los bandidos que estaban en contra del gobierno también mostraban que, si por las toldas del conservatismo llovía, por los lados del liberalismo no escampaba: Almanegra, Sangrenegra, Desquite, Chispas, Tarzán, Pedrobrincos no son precisamente símbolo de la justicia o la ley. Una de las formas de matar era propia de psicópatas: el corte de franela o corbata colombiana —continuó.

—¿Y que era el corte de franela? —le pregunté.

—Hijo, el cuello de la víctima era cortado de manera horizontal, con un machete. Por la abertura se sacaba la lengua de la víctima para asemejar una corbata, que se teñía de rojo, como la corbata que usaban los liberales. Los niños pequeños eran lanzados al aire y al caer eran recibidos en la punta del machete: para que no quedara ni semilla. Cuando no se asesinaba a los niños se los castraba, *para que no se reproduzcan los enemigos de Dios y la Iglesia.*

Mamá Rosa prosiguió con su relato:

—Esa forma de matar, muchos años después se volvió a poner de moda. Y ahora de nuevo la están volviendo a usar.

—Mamá Rosa, todavía no me has dicho lo que significa tu frase —le dije.

—Espérese, mijo. Que tenemos mucho tiempo hasta que estén blanditas las brevas. Ya huelen. ¿Sí hueles el aroma de la canela, el anís, los clavos, la panela? —pregunta.

Mamá Rosa me cuenta que en esos años, poco tiempo después de su regreso de Barcelona, un día llegó un hombre de unos treinta años a la casa de unos pacientes de su marido. El señor era comerciante de telas y su esposa administraba un salón de onces. El hombre tenía un acento extraño y timbre de voz aflautada, aguda, como el de una mujer. Llevaba un poncho de algodón que llegaba hasta la cintura. Amablemente preguntó por el dueño del almacén de textiles, con nombre y apellidos.

—Señora, yo conozco a su marido hace mucho tiempo. Somos viejos amigos y vengo a proponerle un negocio.

—Qué bueno, señor, pero mi marido no está ahora —contestó la esposa.

—¿Y en dónde está? Necesito hablar con él ahora, porque solo puedo volver en dos semanas y, de pronto, para entonces ya será muy tarde —dijo el hombre del poncho.

—Está en el consultorio de nuestro doctor. Fue al control mensual del corazón —contesta la señora.

—¿Me podría decir en dónde queda el consultorio de su médico? —pregunta el hombre.

—Claro que sí… está en la casa de dos plantas, al lado de la iglesia de la Merced —contesta la señora.

—Muchas gracias, creo que volveré más tarde. Usted me ha sido de mucha ayuda. Que pase una buena tarde, señora —dice el hombre.

El hombre del poncho llegó al consultorio del esposo de mamá Rosa. En la sala de espera no había pacientes, pues era casi mediodía. Solo estaba la secretaria con su uniforme blanco. El hombre pregunta por el médico:

—Está en consulta, señor. Si gusta, puede esperar un momento a que salga —contesta la secretaria.

El hombre echa seguro a la puerta del consultorio sin que la asistente del médico se dé cuenta. Toma asiento. A los pocos minutos sale del consultorio el médico acompañado del comerciante de telas. El hombre del poncho se pone de pie, se acerca al médico y al paciente. Se dirige al galeno:

—¿Cómo está, doctor?

Luego se dirige al paciente:

—¿Cómo está, señor? Creo yo lo conozco… ¿Usted es el dueño del almacén de telas? —pregunta el hombre con su voz aguda.

—Sí, señor… ¿En qué le puedo servir? —contesta el comerciante. El médico observa a la recepcionista. Ella le devuelve la mirada. Su cara indica que no tiene idea de quién se trata.

El hombre desconocido no contesta. Se echa el poncho sobre el hombro izquierdo, saca un enorme cuchillo —de los que llamamos *mataganado*— y se lo hunde al paciente a la altura del pubis. Después corre el cuchillo, sin sacarlo, hasta el ombligo. El herido ni siquiera tiene tiempo de reaccionar. Solo mira con ojos desorbitados. La asistente del médico ahoga un grito, está lívida, blanca como el papel. Observa el chorro de sangre que empieza a empapar la alfombra. El médico igual.

El hombre del poncho mira con rabia al herido y le dice:

—Hace más de veinte años que te busco, malnacido… al fin te encontré. Te empecé a buscar a los pocos días después de que estuviste en la finca de mis padres, violaste a mis hermanas y los mataste.

Luego, se dirige al aterrado médico y a su asistente:

—Este desgraciado mató a mi familia, violó a mis hermanas. Este tipo era agente de policía. Un día llegó a la finca de mis papás. El cura del pueblo le dijo que mis padres eran miembros del Partido Liberal. Y eso fue todo. Yo tenía diez años entonces.

Con otros agentes me amarraron a la cama con lazos. Luego, este desgraciado sacó una navaja y me sacó los testículos.

El herido sigue consciente, pero no se queja. Intenta sacar el cuchillo de su vientre. El hombre del poncho se baja los pantalones y la ropa interior hasta los zapatos. Levanta el flácido miembro, debajo se ve una horrible cicatriz con forma de cordón y dice:

—Miren, que no miento. No tengo testículos. Este infeliz me dijo que me los quitaba para que no pudiera engendrar y traer más liberales al mundo, enemigos de Dios y de la religión.

El hombre arregla sus ropas, se agacha junto al herido y corre el enorme cuchillo hacia arriba, hasta que se tranca en las costillas. El médico y su asistente están a punto de desmayarse. El hombre saca el cuchillo, lo limpia en las ropas del herido y lo envuelve en el poncho. Le dice al médico:

—Por favor, doctor, dígale a la viuda que muchas gracias por la información.

A continuación, quita el seguro de la puerta, sale, cierra y se aleja lentamente.

El dulce de brevas ya está listo. Mamá Rosa lo pasa a un recipiente de porcelana. Para que se enfríe, dice. Alista los pedazos de quesillo, perfectamente cortados y un tarro de arequipe. Una hora más tarde, mamá Rosa, los niños y mi mujer comen brevas con queso y arequipe. Yo no puedo. Mi mujer me pregunta:

—¿Por qué no quieres comer el postre? Está buenísimo.

Mamá Rosa dice, socarronamente, a mi mujer:

—No le pasa nada, es que está pensando qué quiere decir *de higos a brevas*. Le conté una historia acerca de lo que siembras y lo que cosechas.

Le perdí desde entonces el gusto al dulce de brevas, pero aprendí una cosa: *nunca, pero nunca, debes decirle a un desconocido en dónde está alguien por quien te pregunten. Aunque sepas en dónde está. Sea quien sea.*

EL PEREGRINO

En cuanto al tiempo y el espacio, los humanos somos de distintos tipos. Algunos, como la madre de un amigo piensa que las personas son árboles que deben echar raíces donde nacen.

—El nacimiento no es casual, ni azaroso. Nada se le ha perdido a nadie fuera del lugar en el que llega a este mundo —dice ella.

Otros, por el contrario, parece que nunca encontramos sosiego. De algún modo somos un trasunto del judío Ashverus, condenados a caminar por tierras extrañas sin detenernos en ninguna. Siempre errantes en busca de un rincón. Nos negamos a aceptar que ya no queda ninguno. Todos los espacios han sido hollados, profanados. No obstante, algunos seguimos buscando, a sabiendas de que no vamos a encontrar nada. Tal vez esa sea la única búsqueda. Como el poeta:

Al andar se hace el camino,
y al volver la vista atrás
se ve la senda que nunca
se ha de volver a pisar.

Quiero contar la historia de tres caminos o, mejor, de tres etapas de la senda que se recorre una sola vez.

Cuando estaba apenas entrando en la adultez le oí decir a un viejo fumador de tabacos baratos, vestido con andrajos —al que mi madre socorrió con una sopa diaria— que en cierta montaña, visible tenuemente desde la casa de mis padres, habitaba un duende. Tan pronto como algún caminante se acercaba a la montaña, el duende hacía descender una nube tan espesa que impedía seguir el camino. Si ello no bastaba, el duende desencadenaba un chubasco con relámpagos y rayos que no se detenían hasta que el intruso daba marcha atrás.

No soy dado a creer en espantos de ningún tipo, incluso antes de que la televisión hiciera desaparecer el mundo encantado de los abuelos. Así que encaminé mis pasos hacia la montaña del duende que vivía, según decía el viejo, tras una cascada, visible solo cuando se estaba suficientemente cerca de ella.

La vista de la cascada era el momento en que empezaban los movimientos de la atmósfera que hacían huir al visitante. No pasó. No pasó nada. Llegué al pie de la cascada. Ni niebla, ni rayos ni duende. Solo un río de aguas cristalinas que serpenteaba entre rocas gigantescas.

De los árboles que crecían en las orillas caían bejucos gruesos y torcidos en los que se columpiaban algunos monos. El canto de distintas aves rompía por ratos el silencio. Se me antojó que así debía de ser el mundo al quinto día de la creación, es decir, antes de que los hijos de Adán se reprodujeran y poblaran la tierra.

Decidido a acampar varios días, creí conveniente recorrer el lugar, antes de hacer una fogata y extender el saco de dormir. *Esto es lo que busco.* Me había alejado un par de cientos de metros cuando aparecieron picos, palas, bateas, una cocineta: ¡un campamento de mineros! Marcha atrás. Y vuelta al nido.

Tiempo después, decidí comprar una pequeña parcela, alejada de vías principales, accesible solamente a pie o a caballo. Era el sitio soñado: no parecía haber vecinos, ni caminantes. Perfecto.

Como pude, con la ayuda de un pequeño machete, me abrí paso entre la espesa maleza, solo para encontrar una montaña de recipientes de poliestireno, pañales desechables, bolsas plásticas, zapatos viejos, baterías, llantas, radios, una pantalla de computador, botellas de cerveza y vino. Otra decepción. *No hay lugares que el hombre no haya profanado*, me dije.

Ahora, buscaría habitar solo *las moradas interiores* de la mística de Ávila. Enfrente de un espejo, desnudo de cuerpo y alma, hablé muchas horas con la imagen devuelta. La imagen y yo hablamos. Al principio nos asomamos tímidamente al mundo interior en el que yo pretendía habitar. A poco de andar, descubrí que esta tierra también había sido horadada. Las moradas interiores del alma estaban llenas de agujeros, como un queso, en el que los gusanos de la morralla actual han convertido en espuma lo que parecía granito. Una espuma que absorbe iniquidad. No sé si esta fue la última peregrinación. Tal vez la madre de mi amigo tiene razón y ya no existen lugares que valga la pena buscar. No hay espacio para los peregrinos. Ni afuera ni dentro.

O PEQUENO JORGE AMADO

José Miguel mira hacia atrás, con miedo. Sabe que van por él. Un coronel, pariente de su ex, le avisa que se ha puesto en marcha un operativo para hacerlo desaparecer. La verdad, José Miguel no merece esa suerte. Nadie lo merece, pero eso es lo que menos importa en estos lares.

Vástago de una familia, venida a menos económicamente, participó desde joven —sin preocupación alguna por obtener algún grado universitario— en cuanta refriega había en la capital del país o en cualquier sitio en donde la condición de los pobres amenazando empeorar.

Ollas comunitarias, memoriales, peticiones a las autoridades locales para evitar una orden de desalojo, consecución de recursos para dotar la escuela pública del barrio de invasión —en el que por propia voluntad decidió vivir— misas populares al aire libre celebradas y animadas por jesuitas, jornadas de alfabetización, e incluso un intento por llegar al concejo municipal, se convirtieron en la opción de vida de José Miguel.

Su enorme capacidad histriónica, su habilidad para imitar voces y acentos regionales, o de los países vecinos, su talento para recitar poesía y para el baile, su experticia culinaria, eran razones del gran ascendiente que tenía sobre los olvidados y ninguneados que malvivían en los barrios marginales de la capital.

Alguien creyó que ya era suficiente; antes de que algún esbirro cumpliera la orden, José Miguel se fue a la terminal de buses. Le pareció más seguro que el aeropuerto.

Después de casi tres días de viaje, llegó a la capital de una provincia limítrofe con Brasil. Durmió apenas seis horas. Se levantó, sin siquiera ducharse, tomó otro bus: después de cuatro horas más de viaje José Miguel llega al último poblado colombiano al que se accede por carretera. Allí contempla el caudaloso río que hace de frontera con el Perú. Aborda un ferry que lo llevó hasta la bulliciosa Manaos. En el ferry se sintió a salvo.

Tras buscar una modesta pensión, y dormir a pierna suelta todo lo que su cansado cuerpo y acongojado espíritu pidieran, José Miguel hizo la obligada visita al Teatro Amazonas, en el que supuestamente cantó Enrico Caruso, actuó Sara Bernhardt y bailó Ana Pavlova. El guía le dijo que si estuvieron o no en el teatro era lo de menos: *peor para ellos porque si no vinieron a Manaos no sabían lo que se perdían*. José Miguel asintió.

De regreso a la pensión, escuchó la voz de varios paisanos. Lo que decían no invitaba al sosiego. La zozobra se apoderó de nuevo de él. Hora de partir más lejos. Después de cuatro horas de viaje en avión estaba en Curitiba. Ahora sí, se encontraba lo suficientemente lejos de los gorilas que lo atormentaban.

En Curitiba fue mesero, cocinero, camillero en una clínica, traductor, profesor de español e, incluso, asesor del burgomaestre local. Así fueron transcurriendo los meses.

Las primeras semanas no quiso saber nada de su país. Pero no pudo resistir la tentación: al final terminó enterándose de que amigos y compañeros, líderes barriales, bohemios pobres, estaban siendo asesinados poco a poco. Más de cuatro mil militantes de organizaciones populares fueron ejecutados de manera sistemática por una alianza de políticos, agentes estatales, narcotraficantes y grupos de extrema derecha. Candidatos presidenciales, legisladores, alcaldes en ejercicio y exalcaldes, concejales, diputados y millares de militantes fueron asesinados sin que a día de hoy hayan sido investigados y capturados los responsables.

Lo mejor era olvidarse de todo y de todos. Empezar de nuevo.

—A veces es mejor así; hay que saber quemar las naves a tiempo —dice José Miguel.

Aprendió a hablar portugués o, mejor, brasilero, casi sin acento. Chico Buarque, Caetano Veloso, Maria Bethânia, Pixinguinha, Toquinho, cantautores, escritores y activistas se convirtieron en su nuevo hogar espiritual. Sin embargo, le faltaba conocer a uno de sus referentes, el escritor y activista Jorge Amado. En la adolescencia había leído *Doña Flor y sus dos maridos* y *Gabriela, clavo y canela.*

El derroche de sensualidad y gastronomía presentes en los libros de Amado, además de las novelas de crítica social hacían obligada la visita al afamado escritor. Al fin y al cabo, tenemos varias cosas en común, dijo José Miguel: fuimos educados por los jesuitas, somos militantes de izquierda, conocemos la vida de los pobres, sabemos disfrutar de la buena mesa y ambos hemos vivido en el exilio por las mismas razones.

Y he aquí a José Miguel viajando durante casi dos días desde Curitiba a Salvador de Bahía. Sabía que Jorge Amado se encontraba enfermo, pero aun así guardaba la esperanza de que lo recibiría y le firmaría alguno de sus libros. Llegó a Salvador casi a medianoche. Hizo que un transporte lo llevara al Pelourinho. Entró a un bar para averiguar por un alojamiento a esa hora. Lo atendió una hermosa mulata que, se le antojó, debía de ser igualita a Gabriela. Le pidió esperar al cierre. Ella conocía una pensión. Aguardó un rato; cerraron la puerta y se fueron caminando.

—¿Cómo te llamas? —le preguntó la mulata.

—José Miguel. ¿La pensión está cerca? —dijo.

—Está muy cerca, apenas unas cuadras. Mi nombre es Irasema.

—¿Es muy bonito, qué significa? —preguntó.

—La que brota de la miel —dijo la mulata.

Dios santo, pensó José Miguel. Esta mujer se parece a la desinhibida Gabriela o, mejor, es como Doña Flor. Por supuesto yo quiero ser como Vadinho, el primer marido de Doña Flor, fogoso e insaciable.

—¿En qué piensas? —preguntó Irasema.

—No, en nada. Es que te estoy dando muchos problemas. Es muy tarde y no quiero molestar —contestó José Miguel.

—No te preocupes. Yo vivo aquí al lado. ¿Qué vienes a hacer a Salvador de Bahía? —preguntó la mulata.

—Vengo a conocer a Jorge Amado. ¿Sabes en dónde vive? —contestó José Miguel.

—Claro que sí. Mañana por la tarde te dejo en la recepción del hostal un papel con la dirección y las indicaciones para que llegues fácil —dijo Irasema.

—Te agradezco mucho. Si no puedes pasar, no importa, yo me las arreglo para llegar —dijo José Miguel.

—No, no puedes aparecer así no más, porque no te va a recibir. Está enfermo y casi no recibe visitas. Tienes que esperar mis indicaciones —repuso Irasema.

—De acuerdo. Así lo haré. Gracias por tu ayuda.

—No me agradezcas. Todos los bahianos queremos a Jorge Amado, y queremos a los que quieren a Jorge Amado. ¿Te han dicho que te pareces un poco a Jorge Amado? Eres igual de bajito, pero menos gordo. Tiene el mismo bigote y el pelo blanco. De verdad, que eres muy parecido. De ahora en adelante no te llamaré José Miguel, sino mi *Pequeno Jorge Amado*.

Esto pinta bien, se dijo el pequeño Jorge Amado. Llegaron al hostal, siguieron conversando casi hasta que salió el sol. Irasema lo recomendó con el dueño y se marchó.

Al mediodía, José Miguel se levantó y bajó a la recepción. El conserje le entregó una hoja de papel con la dirección y un mapa:

El papel decía: *A Casa do Rio Vermelho, Rua Alagoinhas, 33. Caso queira a referência, é a ladeira atrás do Boteco do Caranguejo, próximo ao do Rio Vermelho, Vasco da Gama e Garibaldi. Aí é só subir, dobrar à esquerda e seguir até visualizar a fachada.*

José Miguel todavía guarda el papel. Lo enmarcó con dos vidrios y cuelga en una de las paredes de su habitación.

No le fue difícil a José Miguel llegar a la casa de Jorge Amado. Tocó tímidamente a la puerta. Un sonoro «pasa, te estoy esperando» hizo que casi saltara de la emoción. Jorge Amado, cansado, decaído pero sabio, con las piernas arropadas con una delgada manta, conversó con *el pequeño Jorge* más de hora y media a pesar de que se fatigaba al hablar.

—Si Irasema no hubiera hablado por ti no te hubiera recibido, porque estoy enfermo. Pero que hayas venido de tan lejos, que estés exiliado de tu país por las mismas razones que lo estuve yo y que seas un hijo de los jesuitas son motivos más que suficientes para recibirte —le dijo el escritor.

—Gracias, maestro. Para mí es muy importante que me haya recibido. Nunca olvidaré este encuentro.

José Miguel le enseñó dos novelas, todas anotadas, subrayadas con colores.

—¿En cuál quieres que escriba una dedicatoria? —le preguntó.

—En *Doña Flor y sus dos maridos*, —contestó José Miguel.

Se despidieron. José Miguel se fue al bar a agradecerle a Irasema, quien lo estaba esperando.

—Tengo que mostrarte los mejores sitios de Salvador de Bahía. Te invito a cenar y después nos emborracharemos —dijo la mulata.

—Eso está muy bien, pero tengo que poner un despertador; en la mañana viajo a Curitiba.

Se pusieron en marcha. Empezaron con caipirinhas en el bar de Irasema. Recorrieron otros más. Cena con feijoada y samba. Más caipirinhas, cachaza sola.

El despertador de José Miguel sonaba insistentemente. Se despertó sobresaltado. Estaba completamente desnudo. Irasema, desnuda también, dormía plácidamente a su lado. No recordaba nada. O, mejor, solo recordaba las primeras caipirinhas y la cena. Se quiso levantar de la cama, pero el brazo de la mulata lo impedía; con suavidad lo hizo a un lado. Se sentó, apoyándose en el espaldar de la cama, solo para ver un negro enorme, del color del ébano, puro músculo, que dormía, desnudo también, en el suelo.

Ducha rápida. Irasema y el negro le prepararon café muy fuerte, sin leche ni azúcar. Abrazos y besos.

—¡Un día vendré por ti Irasema! —dijo José Miguel.

—Te estaré esperando —dijo la mulata sonriendo. El negro sonreía también.

Bajó rápidamente las escaleras. La mulata y el negro abrieron la ventana que daba a la calle; le gritaban:

—*Adeus, pequenho Jorge Amado, adeus!*

José Miguel se dio vuelta. Desde la calle podía ver las esferas redondas y duras de Irasema, tapadas intermitentemente por su brazo despidiéndose. La verga del negro también se bamboleaba al ritmo de su brazo

—La mejor noche de mi vida —dice José Miguel. Y agrega—: nunca un viaje por carretera me pareció más corto.

ANIMALES FANTÁSTICOS

Camila, bióloga de formación, se acerca a los sesenta años. No espera vivir muchos años más. La carcoma antrópica lo ha invadido todo: el aire, el suelo, las aguas. En 3800 millones de años ningún ser vivo había sido responsable de una extinción masiva, salvo en la actual. Camila ojea un antiguo texto de biología. Los animales que están en sus páginas ya no existen. Han sido reemplazados por peces y cachorros monstruosos que mueren al poco de nacer, cerdos con dos cabezas, terneros con cuatro orejas y seis patas y sapos con cuatro ancas. Es hora de partir.

IN MEMORIAM
RAMÓN DE LA CUESTA (1900-1992)

Conocí a Ramón de la Cuesta hace unos cincuenta años. No es que antes no supiera quién era: todo el pueblo sabía que el señor Ramón era el boticario. Quiero decir que nunca le había hablado, ni siquiera saludado. En aquel entonces yo tenía unos nueve años y Ramón casi setenta. La razón por la cual lo conocí fue una tarea escolar: tenía que calcular el área de un triángulo, un trapecio y un rectángulo. Como llevaba una semana sin asistir a clase —había pillado la viruela— no tenía la menor idea de cómo solucionar el problema de geometría. Mi madre —mi padre había fallecido tiempo atrás— tampoco tenía idea, pero «solucionó» mi tarea:

—Ve a buscar al señor Ramón y pregúntale cómo se hace —me dijo.

Aunque no quería ir a la casa de Ramón, la promesa segura de una mala calificación y un regaño interminable de mi progenitora, hicieron que fuera a buscarlo. Ramón vivía en el marco de la plaza del pueblo.

—¿Qué se te ofrece? —me preguntó.

—Es que me dejaron una tarea en la escuela y no sé cómo hacerla. Tengo que calcular el área de unas figuras geométricas —le dije, con algo de susto.

Después de un «eso es muy fácil», sacó un cuaderno viejísimo, hizo un dibujo de cada una de las figuras, identificó los lados, la altura y me enseñó a calcular el área. Fue el comienzo de una relación, que luego se convirtió en amistad, por más de dos décadas. Mes a mes, después de la tarea de geometría, siguió la de biología, historia, educación cívica.

Todos los niños de la escuela terminamos ocupando el tiempo disponible de Ramón. En su casa había muchos libros; ni siquiera en la biblioteca de la escuela había tantos. Empecé el bachillerato, llegaron las clases de álgebra y de química, las de literatura y filosofía. No importaba: Ramón de la Cuesta tenía el libro o tenía el saber.

Ya en la universidad, en las vacaciones de mitad y de fin de año regresaba al pueblo… y a la casa de Ramón. Nunca su figura dejó de parecerme inmensa, sabia.

De hecho, con el paso de los años se agigantaba: un día me contó que solo había cursado los dos primeros años de la escuela primaria. ¡Solo dos años! Era el hijo mayor de una familia numerosa. Familia sin padre, porque el padre de Ramón falleció en un accidente al poco de nacer su último hijo. Tuvo que ponerse a trabajar, y abandonar la escuela, para alimentar a sus hermanos menores y ayudar a su madre viuda.

En la biblioteca de Ramón estaba la biografía de Erasmo escrita por Stefan Zweig, con una anotación que dice: «A nuestro distinguido amigo y cumplido suscriptor don Ramón de la Cuesta el V premio obtenido en el concurso de hombres célebres abierto por *La Defensa* de Medellín, verificado el 15 de noviembre de… (ilegible)». Vine a saber que *La Defensa* era un diario conservador, a quien los liberales apodaron *La Chana* durante los años de la Gran Depresión, cuando estos regresaron al poder después de casi medio siglo de gobiernos conservadores.

Ramón era conservador, de los de antes, con principios, cuando conservador quería decir católico, y no conservador como los de hoy, es decir neoliberal como Thatcher, Reagan y gente de ese pelambre.

En su enorme biblioteca había ejemplares de revistas publicadas por los jesuitas, los salesianos, los redentoristas. Además de suscripciones a la revista *Bolívar*, había numerosos ejemplares de la Biblioteca Aldeana, imagen emblemática de la República Liberal de los años treinta, las obras de Manuel Azaña, presidente de la II República Española. Incluso encontré *Mireio* (Mireya) de Frédéric Mistral, autor francés ya casi olvidado, ganador del premio Nobel de Literatura a comienzos del siglo XX. No faltaba el Quijote de la Mancha ni la Biblia. En fin, obras representativas de todo el espectro político, además del científico y literario. Así era Ramón de la Cuesta: su biblioteca era expresión de su bonhomía, su tolerancia, su amplitud, su generosidad.

En su casa no solo había libros: me enseñó un radio de galena construido por él mismo, cuando nadie sabía qué cosa era la radio; también tenía un reloj despertador suizo con muchas manecillas, un molino alemán para carne que no se parece en nada a lo que haya visto después, ni siquiera en museos.

Con el tiempo supe que había sido alcalde dos veces, además de juez y notario. Entre sus papeles encontré una carta de un senador de la República en la que le consultaba acerca de la viabilidad de algún proyecto de reforma constitucional. Y encontré también la respuesta de Ramón a la carta del Senador: «Dilecto amigo L.C., mucho me temo que el proyecto de reforma no va a pasar: quien lo redactó no sabe español, ni sabe para qué sirven los adverbios, ni las preposiciones…». Revisando archivos, mucho más tarde, encontré, que el proyecto de reforma de L.C. se había caído, precisamente por el mal uso de una preposición y un adverbio.

En su carpeta personal, que ahora tengo yo, hay facturas de compras de medicamentos realizadas por telégrafo en una farmacia de ¡Nueva York! Decenas de frascos bellamente decorados, algunos de porcelana, están marcados con los nombres acónito, lavanda, vainilla, valeriana, aguardiente de sidra, glicerina, cloroformo, árnica. Además de las facturas, encontré una copia del acta de fundación del municipio y una copia del decreto de su posterior segregación, además de mapas de las veredas y la geografía física, realizados a mano por él mismo.

No he hablado de su sentido del humor, del humor a la antigua. Un día me preguntó si sabía cuál era el apellido de nuestro padre Adán y el de María, la madre de Jesús. A mi asombro por la pregunta, respondió con una sonrisa y me dijo que Adán tenía el apellido Pérez y el de María era Montoya. Le pregunté que cómo sabía eso. La risa que le produjo la expresión de mi cara casi no le permite responder que al buen Adán, como castigo por el pecado, Dios le había dicho al expulsarlo del Paraíso: Adán, por tu pecado, «pérezseras». En cuanto a María, cuando tuvo que huir a Egipto escapando del malvado Herodes lo hizo en burro. José le habría ayudado a montar el burro. El temor ante la llegada de los malvados y la poca prisa de María hicieron que José preguntara impaciente: ¿María montó-ya?

Bueno, ese era el talante de Ramón: un sabio virtuoso, ingenuo, un universo en una villa olvidada de Dios y de los hombres, con menos de quinientos habitantes y a más de tres días de camino a caballo hasta la capital regional. En aquellos andurriales un campesino sin instrucción formal construyó una radio, tuvo una botica como si fuera Nueva York, leyó a Stefan Zweig y Mistral, siguió las vicisitudes de la Guerra Civil Española y la II Guerra Mundial, impartió justicia, instruyó senadores, sembró cientos de matas de café y caña de azúcar y educó escolares. Es imposible olvidar a un hombre así. Al menos lo es para quienes lo conocimos. Ramón, donde quiera que te encuentres, descansa en paz. Descansa en el reino de los hombres justos.

AÑO 2050

Marcel dormía. Sueña. En su sueño está sentado en el Café Tortoni, en la mesa más cercana a las figuras de Jorge Luis Borges, Carlos Gardel y Alfonsina Storni. Lo acompaña su mujer. Y como suele pasar en los sueños, el Tortoni es a la vez El Ateneo, la librería más hermosa del mundo. San Telmo, Plaza Dorrego, el Obelisco y La Flor Genérica se traslapan, uno se convierte en la otra o todo es lo mismo.

En el mismo sueño, golpea suavemente con su frente El Santo dos Croques en la entrada de la Catedral de Santiago de Compostela al ritmo de las gaitas que suenan en la plaza. En las bancas de la iglesia degusta una torta de Santiago. La catedral ahora está en el sótano del Tortoni.

Marcel ofrece a su mujer unas castañas y un pulpo a la romana, acompañados de ñoquis de papa. Las gárgolas de Notre Dame asisten a un partido en La Bombonera, mientras Marcel en compañía de su mujer camina por San Michele, la villa que construyó en Capri el médico Axel Munthe.

En Capri se amontonan las librerías de viejo del Sena. Ahora suena un fado en una plaza de Faro, en el Algarve, al sur de Portugal, mientras un franciscano viejo toca las campanas para la misa en La Rábida. Un chivito uruguayo se acompaña de un mate. La torre Eiffel está al lado del Obelisco en la Nueve de Julio.

Marcel se despierta con una sonrisa culpable: soñaba que, por primera y única vez en su vida, estaba en Ámsterdam fumando un porro del tamaño de una baguette. Al minuto Marcel deja de sonreír. ¿Por qué siempre sueña cosas semejantes, caóticas, tan lejanas? ¿A qué vienen los ñoquis, el *vinho verde*, las gárgolas de Notre Dame, los libros y el Tortoni, el Camino de Santiago y La Rábida, si hace más de veinte años que no ha visitado esos lugares? ¿Por qué no se marchan de una buena vez todos esos recuerdos?

Marcel se jubiló a los sesenta y dos años. Profesor, escritor, consultor, logró hacerse a unos ahorros más que modestos, a una pensión decente y alguna renta por el alquiler de tres apartaestudios para estudiantes, se dijo, le permitirían vivir en cualquier parte del mundo en cortas temporadas de tres meses. Un trimestre en Montevideo, otro en Buenos Aires, otro en Santiago de Compostela, otro en Madrid, uno más en París. Marcel y su mujer no tuvieron hijos, una de las razones por las cuales pudieron ahorrar y comprar inmuebles.

Tenían el firme propósito de llevar ese tipo de vida, trimestral, en lugares que amaban, hasta el día de su muerte. Cuando se terminaba el periplo, comenzaban de nuevo. Con las plataformas digitales ya ni siquiera era necesario gastar mucho dinero en hoteles. Alquilaban apartamentos de una habitación, hacían su propia comida y los fines de semana iban a cenar a restaurantes típicos, al teatro o a conciertos. A medida que pasaban los años, empezaron a tener problemas para seguir adelante.

Después de una pandemia, que acabó a mediados del 2023, empezó otra en 2028. Un día fueron agredidos por grupos de fundamentalistas de derecha en la calle Alberto Aguilera de Madrid. Luego fueron objeto de un trato brutal en la capital francesa. En Buenos Aires sufrieron el acoso y los golpes de una banda de ladrones.

Las previsiones de los expertos medioambientales se estaban cumpliendo. A medida que aumentaba la temperatura media del planeta se secaban las fuentes de agua en África, aumentaban las guerras civiles y millones de gentes desesperadas golpeaban a las puertas de Europa. Las ciudades costeras empezaron a inundarse y las personas buscaron refugio en el interior.

La gente desesperada por el hambre, empezó a saquear los supermercados y luego cayeron como langostas sobre los campos. Al principio los militares intentaron poner orden y asumieron el poder en casi todos los países. No valía la pena, era imposible. Las viejas películas de *Mad Max* eran simples cuentos para dormir a los niños. Era el fin. Por eso le resultaba imposible entender a Marcel por qué su mente, nada más conciliar el sueño, lo llevaba a disfrutar de comidas, sabores, paisajes y lugares que hacía mucho tiempo habían desaparecido o estaban destruidos. Tal vez, se dijo, era una simple respuesta de defensa al dolor. *Solo me resta morir, pero no soy capaz de la muerte. Tampoco es posible la vida.* Tal vez el mundo no merece una segunda oportunidad. *La hemos cagado*, dijo. Y de qué manera, Marcel.

MEMENTO MORI

Soy yo. Yo mismo. Pero no soy el mismo de siempre, porque no tengo cuerpo, ni carne, ni sangre. Solo mente, mente sin cerebro. Es que estoy muerto, aunque me siento más vivo que nunca. Me llamo Víctor. O así me llamaban. No sé si tenga sentido llamarme lo mismo que antes. Antes de morir.

Es un poco raro sentirme así, porque me he vuelto muy inteligente. Cuando tenía cuerpo, tripas, cerebro, boca, estómago y todo eso, no era muy listo. Al contrario, era un poco bruto, pero ya no, porque según me dice el filósofo Tomás, quien merodea por aquí hace 748 años, a mayor inteligencia menos materia. Mejor dicho, la materia, en este caso, el cuerpo, es el que no deja que la mente capte al instante todos los secretos del universo y del espíritu.

Un cerebro mal alimentado como el que tuve en el mundo terrenal es una herramienta sin filo para entender las cosas. Es que cuando era niño aguantábamos mucha hambre en mi casa. Solo pude hacer dos cursos de escuela elemental. Aprendí a leer a trancazos.

Con la tarea de escribir me fue peor todavía. Y de las matemáticas, mejor, ni hablar: solo aprendí a sumar y nunca pude con las tablas de multiplicar. En cambio ahora, las matemáticas son clarísimas para mí. Debe de ser por lo que dice el filósofo, que las formas puras son aprendidas inmediatamente por los seres que no tenemos carnes que nublen el entendimiento. Líneas, planos, triángulos, circunferencias, límites, derivadas e integrales, series y números imaginarios, son obvios para mí.

Ahora sé muchas cosas, pero de todas las cosas que sé, lo que más me gusta es conocerme a mí mismo, como dijo que había que hacer Sócrates, otro filósofo que pasea por estos lados hace 2421 años.

Me conozco perfectamente. ¡Ah!... y ya sé cómo fue que pasó todo, en mi casa de niño, cuando me casé con Isabel y nacieron mis hijos, Eduardo y Rosalba, cuando llegó el tío de Isabel a nuestra casa y cosas así.

Todo me parece divertido. Como un sainete de los que se hacían en la escuela. Es que el mundo es una obra de teatro, en la que todos tenemos un personaje que representar.

Una de las formas puras con las que converso a menudo es un tal Sancho Panza, quien me dijo que su amo le había dicho —aunque no era nuevo para él cuando lo escuchó de su señor— que a unos les toca hacer de emperadores, a otros de pontífices, otros hacen de reyes, o de mercaderes o soldados, o damas, o rufianes, a otros les toca hacer de bobos, a otras de putas, pero a la hora de la muerte todos pierden las ropas y quedan iguales en la sepultura.

A mí, por ejemplo, me tocó hacer el papel de cornudo, porque Segundo —qué nombre más apropiado— no era el tío de mi mujer sino su amante y padre de mi hija Rosalba. Mi mujer hizo de fulana, y también de bruja, a la que otras comediantes acudían para hacer encantamientos a sus maridos, o pedirle que alejara a sus amantes. Luego, al morir Isabel, el oficio de bruja lo heredó mi hija, es decir, la hija de Segundo. Yo hice de bobo casi toda mi mundanal vida. Mi amigo Sancho prefiere decir simple, y no bobo.

En esta vida ultraterrena me toca hacer de espectador del teatro del mundo. ¡Cómo me divierto! Vale la pena haber vivido, aunque sea de manera miserable, para poder disfrutar como hago yo ahora. Pero para llegar a convertirse en espectador del teatro del mundo toca esperar, a veces poco, a veces mucho.

La verdad es que en la mundanal vida nos afanamos por cosas, solo cosas, y ni siquiera nos damos cuenta de que somos apenas una comparsa de carnaval sin director. A mí me tocó esperar mucho para convertirme en espectador de palco de platea. Casi ochenta años. Voy a contar cómo fue, ahora que todo lo veo claro, sin la opacidad de la carne.

Voy a empezar desde el momento en que abandoné la escuela elemental. Cuando tenía nueve años mi padre murió en una pelea de borrachos y mi madre quedó sola con cinco hijos, además de mí, todos pequeños. Me convertí en *el hombre* de la casa. Fueron años desyerbando las huertas de los vecinos, haciendo mandados en el pueblo, cavando zanjas, ayunando un día y otro también.

Cuando mis hermanos pudieron valerse por sí mismos, dejé la casa para casarme con Isabel, moza guapa y callada. Eso me pareció, pero resultó que no era callada sino solapada. Un año antes de que naciera Rosalba, llegó a vivir con nosotros el tío Segundo, y tan pronto como Isabel dio a luz, entre ella y el tío me echaron de la casa. Menos mal que para entonces trabajaba como vigilante en el edificio de la gobernación y no tuve que aguantar hambre. Lo que no había era alojamiento, pues nadie arrendaba habitaciones ni casas por aquel entonces.

Así fue como terminé viviendo en el cobertizo de la huerta del señor Nicolás, un verdadero señor, de los de antes, a quien le tocó hacer de caballero. Él llegó tres años antes que yo a esta dimensión, lo cual me preocupó mucho porque pensé que muerto el señor, sus hijos me echarían a la calle. No fue así. La esposa de don Nicolás se fue a vivir a otra ciudad con su padre viudo y los hijos me proporcionaron cobijo bajo su techo. Allí pasé los mejores años de mi vida. Llegó la jubilación.

Muy temprano salía a pasear por el campo, ayudaba a amigos y conocidos o, simplemente, los visitaba. Con frecuencia regresaba con mazorcas, yucas, aguacates, naranjas o plátanos que me obsequiaban los campesinos. Era mi contribución al sostenimiento de la casa de don Nicolás, a quien le debo no haber sido un hospiciano del mundo. Tuve un hogar.

En aquella época se cocinaba con leña, y yo era quien la rajaba para toda la semana. A Samuel, el hijo menor de don Nicolás, le gustaba tomarme el pelo cuando tenía el hacha en la mano. Yo le decía: *¡No me desafeé, joven Samuel!*, y él se desternillaba de risa.

El joven Samuel ya no es joven, tiene hijas grandes, pero no es abuelo todavía. Yo me doy cuenta de que al señor Samuel le gusta contar anécdotas de cuando yo vivía con ellos.

Como los hijos de don Nicolás permitieron que yo siguiera viviendo en la casa, me hice a la idea de que allí moriría, como había muerto el señor, de un infarto, sin hacer ruido, sin una larga enfermedad. No pudo ser porque un evento desafortunado, que ahora me hace sonreír, lo impidió.

La sonrisa es inmaterial, como la sonrisa de gato sin gato de Alicia, la del país de las maravillas; en cambio la carcajada es corpórea, visceral: Isabel y su tío Segundo estaban retozando en una hamaca colgada en el patio de la que había sido mi casa. El tío Segundo era obeso, muy obeso, pesaba más de ciento cincuenta kilos; en cambio, Isabel era menudita, casi seca de carnes.

En el momento de *la petite mort,* como dicen los franceses, el tío murió. Instantáneamente. Un infarto fulminante. Isabel, atrapada entre la curva de la hamaca y el cuerpo formidable del tío, no fue capaz de liberarse. Empezó a gritar pidiendo auxilio, pero nadie la escuchó. Siguió gritando y gritando, cada vez con menos fuerza.

Cuando estaba a punto de morir asfixiada, un vecino escuchó los tenues llamados de Isabel. La rescató justo a tiempo. Si no hubiera sido por eso, Isabel hubiera muerto primero que yo. En el pueblo la gente se tomó el suceso con mucha risa: *Segundo no se vino sino que se fue,* decían.

Hace un instante, hablé con Segundo. Es que ahora no hay tiempo. Todo es un eterno presente. El tío me cuenta que el clímax es una experiencia inefable, parecida a una muerte breve. Y él sí tiene cómo decirlo. Tal vez sea la mejor forma de morir: aquella en que la *petit mort* y el *rigor mortis* son una sola y misma cosa. El orgasmo es como asomarse a la eternidad. De ahí la frase *el amor es eterno*. Hay quienes dicen que tiene algo de divino. Por eso debe ser que Isabel exclamaba con frecuencia, cuando estaba con el tío Segundo, o con otros familiares que la visitaban, *me muero, me muero, Dios mío*. A veces lo decía en inglés, *oh, my God*.

Unos meses después de la muerte del tío, empecé a sentirme mal, cada vez más débil. Me costaba levantarme de la cama. La hija de don Nicolás y su marido me llevaron a un especialista. Eso fue en otra ciudad. El médico encontró que tenía cáncer de estómago. No le dije nada a Isabel ni a mis hijos. No sé cómo lo averiguaron. Empezaron a visitarme con frecuencia y a pedirme que me fuera con ellos. Yo no quería, pero Isabel le dijo a mi anfitriona que me dejara ir o si no que se las tendría que ver con ella. *¡Niña, no me deje llevar, por favor! ¡No me deje llevar!*, le decía yo a la hija del señor Nicolás, quien solo lloraba sin decir nada.

Al final entendí que lo mejor era morir en casa de Isabel, en mi propia casa, no vaya a ser que pasara algo grave. No quería que le sucediera nada a la hija de don Nicolás. Isabel y mi hija eran capaces de hacer cualquier cosa por mi pensión de jubilado.

Creo que empezamos a pillar las cosas desde el momento en que sabemos que nos convertiremos en fiambre de gusanos o en pasto de las llamas. Al final no importa el papel que hayamos representado en el teatro del mundo. Todo es vanidad. O, como dice Pedro, otro de los seres que habita conmigo: *la vida es sueño, y los sueños, sueños son*. Todo es fútil.

Si fuéramos conscientes de que el final está cerca, muy cerca —porque el tiempo vuela—, no haríamos miserable nuestra vida ni la de los demás. Todos están invitados, tarde o temprano, a ver conmigo el teatro del mundo. Los espero.

LAS VICISITUDES DEL AMOR

I

Mi padre tenía el oficio de vidriero. Bueno, tenía varios oficios más. Además de vidriero se ocupaba en ser boticario, hortelano, gallero, talabartero, plomero, bombero jubilado y tapicero. Más o menos lo que saliera. Como las personas de antes, que nunca conocieron lo que en jerga de economistas se llama la «división del trabajo».

Nosotros vivíamos en la capital de una provincia situada en la cuenca del río Amazonas, cerca del territorio en donde la Casa Arana, con capitales británicos, dirigida por el cauchero Julio César Arana, cometió un genocidio contra la población de los huitotos y otros pueblos, con la complicidad de empresarios colombianos del caucho y la quina, uno de los cuales, Rafael Reyes, llegó a ocupar la presidencia de la República de Colombia. De hecho, como presidente, se negó a intervenir en defensa de los indígenas, pues, dijo, esas eran «cosas de caucheros» y los indígenas no merecían que se ocupara de ellos, pues se trataba de *salvajes, antropófagos e irracionales.*

La barbarie de la Casa Arana, rebautizada en 1907 como *Peruvian Amazon Rubber Company,* fue denunciada en Londres y Nueva York antes de la I Guerra Mundial, pero continuó hasta finales de la década de los treinta, como lo atestigua José Eustasio Rivera en su novela *La Vorágine*.

Sir Roger Casement, patriota irlandés fusilado en 1916, tres años antes había demostrado en el Parlamento británico, documentos en mano, que en la selva colombiana y peruana se estaba cometiendo un genocidio. Unos 40 000 indígenas, pertenecientes a varias etnias, fueron asesinados. Hoy, es un genocidio olvidado.

II

Por la emisora local se anunció que en medio de la selva, se estaba construyendo un colegio agrícola, a dos horas de viaje en campero, desde la capital regional en la que estaba nuestra casa. Antes de llegar al colegio se pasaba por un pequeño poblado, Bello Horizonte, punta de lanza del proceso que muchos años después acabaría devorando la selva. El colegio estaba a varios kilómetros del pequeño poblado, no sé cuántos.

«Ya tengo un trabajo», dijo mi padre: era el único vidriero, el único que sabía cortar, instalar y transportar vidrios en aquellos lares. Y un colegio, dijo, debe tener muchas ventanas. En cuestión de meses se firmó el contrato entre la administración pública y mi padre.

Yo tenía apenas trece años por aquel entonces. Y como hijo de menestral, también dominaba el oficio. Tal vez mejor que mi padre, porque él ya no tenía la destreza para colocar vidrios en ventanas altas, o en las marquesinas de los techos. Un camión, cargado con grandes láminas de vidrios, nos llevó a mi padre y a un compañero de clases hasta el colegio.

Mi compañero, del cual solo recuerdo su apodo, el Cometa, huérfano, eventualmente era contratado por mi padre cuando había mucho trabajo, o cuando dos o más de los oficios que desempeñaba se presentaban al mismo tiempo.

Mi padre tuvo que regresar a la capital a atender su oficio de boticario, dejándonos con el Cometa a cargo de la instalación de los vidrios. Era un jueves. Casi de noche. Eran otros tiempos. Los niños no importaban demasiado. Por lo menos no importaban tanto como ahora, porque todas las familias tenían muchos niños. Si alguno moría, no interesaba mucho, ¿qué más da uno más o uno menos? Lo pienso porque mi padre no dejó contratado ni el alojamiento ni la comida de los dos o tres días que se demoraría la instalación de los vidrios en las ventanas. Apenas nos dejó unos pocos pesos.

Después de haber mal dormido en las sillas escolares, con congrua comida conseguida en una tienda cercana al colegio, y asustados por sonidos de espanto que pueblan la selva, nos levantamos apenas al clarear la luz del día. El colegio ya estaba en funciones y no lo sabíamos: tomamos medidas de los huecos de cada ventana, en medio de la curiosidad y comentarios de los alumnos; la mayoría eran mayores que nosotros. Yo, naturalmente tímido, los observaba de reojo.

III

De repente la vi. Allí estaba ella: la más hermosa criatura que había visto, hasta ese momento, en mi corta vida. No podía ser verdad. El calor, la humedad de la selva, la falta de sueño y la poca comida, pensé, me estaban jugando una mala pasada. No podía ser cierto que, en medio de la manigua, estuviera sentada en un salón de clase una joven de piel de alabastro, pelo rizado, completamente rubio, casi blanco, que le llegaba un poco más abajo de los hombros. Cuando sonreía se formaban dos hoyuelos en las mejillas. Por si faltara algo, tenía un pequeño lunar en la cara, a lo Marilyn Monroe, pero en la otra mejilla. Estupefacto, tomé las medidas una y otra vez. En realidad, no estaba midiendo nada, porque tan pronto como leía el número de la cintilla lo olvidaba.

En un golpe de realidad fui por el Cometa, quien estaba midiendo, él sí, las lunetas en otro salón. Lo llamé para que viniera a ver lo que yo estaba viendo. A hurtadillas seguimos a la rubia de alabastro en los cambios de salón, la acompañamos con la mirada a la hora del recreo y la vimos subir al bus escolar que la llevaría de regreso a su casa.

Era viernes. El trabajo se terminaría a lo sumo el domingo, razón por la cual pensamos que no volveríamos a ver al ángel rubio en forma de mujer. ¿Qué hacer?

—Tenemos que ir a Bello Horizonte a buscarla. Por lo menos saber en qué casa vive, o cómo se llama.

Manos a la obra o, mejor, pies al camino. No importaba qué tan retirado estaba el pequeño caserío. No pasó ningún vehículo que al menos nos diera un aventón. Ni siquiera un jinete a caballo. Luego supimos que el único vehículo que cruzaba, de lunes a viernes, por el carreteable era el bus escolar y, de vez en cuando, el carro de algún funcionario de la secretaría de educación. Demoramos casi dos horas en llegar al caserío. Recorrimos las tres calles, casa por casa. Preguntamos en dónde vivía una chica de piel muy blanca, de pelo rizado y rubio que estudiaba en el colegio agrícola. Nadie supo dar razón, nadie la conocía, nadie la había visto. Un generador de electricidad, que funcionaba con gasolina, suministraba una tenue luz a los tres postes de la única calle. En cada casa se permitía tener un solo bombillo. A las ocho de la noche la planta se apagaba. La luz de las velas reemplazaba las bombillas eléctricas. No había mucha diferencia, a decir verdad. El Cometa y yo, nos dijo una vieja, parecíamos almas en pena. Fue la última persona a quien preguntamos.

Teníamos que regresar al colegio. El viaje de regreso fue difícil. No solo porque no habíamos encontrado al ángel rubio, sino porque la oscuridad era total. ¿Han estado en medio de la selva en una noche sin luna y sin estrellas? La espesa oscuridad era rota de vez en cuando por alguna luciérnaga. Eso era todo. Los aullidos, silbidos, gruñidos de animales desconocidos para nosotros —al fin y al cabo citadinos, aunque sea de ciudad pequeña— nos aterrorizaban. Yo maldije una y otra vez en mi interior la decisión de ir a buscar a la rubia. Las lágrimas corrían por mis mejillas.

La oscuridad impedía que mi amigo me viera llorar. Aunque me imagino que al Cometa le pasaba igual.

En dos ocasiones nos salimos del camino. Nos dimos cuenta porque ya no se sentía la grava sino el pasto bajo la suela de los zapatos. Volvimos a la senda, pero solo para perdernos otra vez: en una bifurcación tomamos el brazo que no era. Después de caminar a tientas una media hora más nos topamos con una cerca que impedía el paso. Fue aterrador. Desandar el camino y tratar de no errar de nuevo era la única opción. Apenas pudimos regresar al colegio con el clarear del día. Sin apenas haber dormido nada, extenuados por la horrible caminata de regreso, heridos de muerte con la flecha de Cupido, tuvimos que ponernos a terminar de instalar las vidrieras.

Ya de regreso en la capital todo volvió a la normalidad. Pero un día el Cometa llegó presuroso a casa a decirme que creía haber visto a la rubia en el parque principal, situado a unas diez cuadras de mi barrio, las cuales fueron recorridas a toda velocidad con la prisa de las adolescentes ganas. La rubia no estaba en el parque, ni en el templo, ni en las cafeterías, ni en los almacenes, ni en la plaza de mercado. Cuando casi habíamos abandonado la búsqueda —incluso llegamos a pensar que la rubia era una especie de espejismo del trópico— la vimos. ¡Era real! Los bucles rubios, la piel de alabastro, el lunar y los hoyuelos, los ojos color cielo. Todo, todo, era verdad.

Pero la rubia no estaba sola. Estaba hablando y riendo animadamente con Morcilla, el mote con el que conocíamos a un sujeto, unos cuatro años mayor que nosotros, quien cursaba el último año de secundaria. Era el matón del colegio; con fama de ladrón y vicioso, utilizaba el pelo largo. Era hijo de una vendedora de morcilla y verduras en la plaza de mercado. De ahí su apodo.

—Cometa, ¿ese que habla con la rubia no es el Morcilla?

—Creo que sí —dijo el Cometa.

Fue suficiente: el hechizo se deshizo al instante. El Morcilla hizo el papel de hada maligna. El Cometa y yo nos dijimos que no había valido la pena caminar en la oscuridad, ni tampoco caminar ese día. Un día, el Cometa le escuchó al Morcilla decir que la rubia era nieta de un nazi, que se había escapado de Europa tras la II Guerra Mundial y escondido en el Amazonas; en la selva se juntó con una indígena. Creo que no es cierto.

Ignoro por qué recuerdo ahora esta historia. La había olvidado por completo. De hecho, empecé a olvidar la rubia casi desde el mismo instante en que la vi hablando y riendo con el Morcilla. Debe de ser porque los viejos recuerdan con detalle las vicisitudes de la niñez y olvidan todo lo reciente. ¿Por qué la olvidé? A veces pienso que no fue porque la vi con el Morcilla: me dije, y me convencí, de que las uvas estaban verdes.

Una vez soñé con los hoyuelos y el lunar que la rubia tenía en la mejilla. Como Marilyn. Tal vez tenía —no lo sé, nunca lo averiguaré— los hoyuelos de Venus. La verdad es que no sé cómo se llamaba. Manes del destino.

EL VELOCISTA

Diego llevaba en Bogotá apenas tres días. Oriundo de una pequeña capital de provincia, nunca había estado en una ciudad de más de 200 000 habitantes. Bogotá tenía casi ¡cuarenta veces más! Los dos primeros días, con una pequeña maleta y dos mudas de ropa, durmió en la estación de buses. Fingía esperar un bus que nunca llegaba, para evitar las preguntas de los vigilantes o los policías. Cada noche la pasaba en un módulo distinto. El terminal de transporte cuenta con duchas, restaurantes, panaderías, y alguna farmacia. Era el único sitio que conocía Diego.

No es fácil. No se puede dormir en una silla de una terminal de transportes. El ruido que hacen las bocinas de los vehículos, los altoparlantes que anuncian la próxima salida, las gentes que llegan y las que se van, es constante. Tenía que buscar otro lugar. En un mapa de la ciudad, que está en el módulo principal, se dio cuenta de que la ciudad se construyó de sur a norte. Bogotá es mucho más larga de sur a norte que de oriente a occidente. La Avenida Caracas —o, simplemente, la Caracas— es la arteria vial que recorre la ciudad de sur a norte en su totalidad. A ella quedan vinculados los nombres de los urbanistas Karl Brunner, quien la diseñó en 1933, y el de Le Corbusier, quien juzgó que el diseño de Brunner era *criminal.*

Con los pocos pesos que tenía alquiló *un cupo,* es decir, una habitación compartida en una pensión de mala muerte. Por supuesto, la habitación estaba situada sobre la Caracas. El miedo, el temor, la incertidumbre, son agobiantes: no se sabe qué compañero de habitación toca cada noche: puede cambiar todos los días. El miedo no te deja dormir. Al compañero de habitación le debe de pasar otro tanto. Mientras conocía un poco mejor la ciudad, solo se desplazaría de sur a norte y de norte a sur por la Caracas.

Los barrios de los pobres están en el sur. Los barrios de los ricos están en el norte. Parece fácil.

—Apenas pueda, consigo una habitación, solo para mí, en el sur y busco trabajo en el norte —se dijo.

Con veinte años, los sueños encogidos y los bolsillos rotos, estaba dispuesto a abrirse paso en la jungla urbana. Al precio que fuera. Bueno, no tanto. De inteligencia despierta y habilidad con las matemáticas, se propuso empezar con clases a domicilio para estudiantes emproblemados cuyos padres pudieran pagarlas. Uno, dos, tres anuncios en un periódico de gran tirada no sirvieron. Nadie se comunicó. Pensó en regresar a casa.

Cuando todo parecía perdido, un encuentro casi imposible tuvo lugar: dirigiéndose a pegar un anuncio —*Se dictan clases de matemáticas, informes en el teléfono…*— en algún poste de la luz eléctrica de un barrio del norte, se encontró con el hijo de un político de su región, ahora radicado en Bogotá. Eran conocidos. Más o menos. No hay mucho contacto entre los hijos de los ricos y los hijos de los pobres, ni siquiera entre los ricos y los pobres de pueblo. El hijo del rico le contó que estaba perdiendo el año escolar, precisamente por matemáticas.

—Mis papás se van a enojar mucho: perdí un curso y el cupo en el Liceo Francés. Ahora estoy en un instituto de medio pelo, un hueco; le dicen «el Arca de Noé», porque se supone que allí estudiamos todos los animales. Igual, el curso también está perdido, a menos que pueda recuperar matemáticas.

¡Al fin un trabajo! El sábado siguiente, Diego se dirigió al norte para buscar el estudiante emproblemado con las matemáticas Fue fácil encontrar su casa: estaba a medio kilómetro de distancia, en línea recta, desde la Caracas, que allí ya no se llama Caracas sino «Autopista Norte».

Después de tres horas definiendo funciones y resolviendo ecuaciones trigonométricas, llegó la hora del pago. Ni el estudiante, ni el padre, ni la madre del estudiante parecían darse por enterados. Los pobres no necesitan pago, o pueden esperarlo hasta que quienes los contratan así lo dispongan. Un torvo pensamiento cruzó por la mente de Diego: ¿será que estas gentes piensan dejar el pago para la próxima o próximas sesiones? Imposible.

Ese dinero era para pagar el cupo de esa noche. En los cupos se paga a diario. Después de media hora, eterna, la madre del estudiante cayó en cuenta de lo que Diego esperaba. Un cruce de miradas de enojo entre la madre y el padre del estudiante se resolvió con unos billetes que él sacó de su bolsillo y se los entregó a Diego. Por supuesto, ellos fijaron el valor de las tres horas de clase.

Diego salió de la casa, caminó hacia la Autopista Norte y tomó un bus que lo llevaría a la pensión. Al principio todo iba bien: la ruta era la misma que la de ida. De repente, el conductor giró a la izquierda. Con la seguridad de que más adelante tomaría de nuevo la Caracas, Diego esperó unos veinte minutos más. No sucedió. Como pudo, se bajó del transporte y empezó a caminar por calles sin pavimento y sin aceras. Llovía a mares. Luces mortecinas alumbraban algunas casas, la mayoría construidas con tablas y restos de construcción. Necesitaba preguntar en qué parte de la ciudad estaba. Algunas personas lo encaminaron a una estación de Policía. Era lo más seguro, le dijeron. Los policías lo acompañaron a tomar un transporte que lo llevaría a su lugar de residencia. Efectivamente, después de unos minutos, el bus retomó la Caracas. ¡Qué alivio!

Como lo que puede ir mal, irá mal y se volverá peor, de nuevo el transporte público abandonó la Caracas. La nueva ruta corría paralela a la avenida. Y así durante unos veinte minutos.

—Mientras las luces y los vehículos de la Caracas sean visibles no hay problema —se dijo Diego.

Empero, sin que el bus cambiara de dirección, la arteria vial se alejaba más y más. Al principio la Caracas estaba a unos cien metros. Luego a unos doscientos. Era casi medianoche. La distancia seguía aumentando: eran unas cuatro cuadras ahora.

—¡No me puede volver a pasar lo mismo! —pensó Diego.

Se bajó del bus y empezó a caminar, a toda prisa, hacia la Caracas, todavía visible. Apenas se había alejado unos pasos del bus escuchó voces:

—Mi amor, ¿qué se le ofrece?

—Papi, ¿me está buscando?

—¿Qué hace tan solito y a estas horas?

—¡Papi, déjese querer que eso no duele!

Diego lo entendió de repente: estaba en medio de un barrio de prostitución. No solo había mujeres. Aunque Diego no lo sabía, en esa calle también deambulan rufianes, ladrones, indigentes, vendedores de drogas.

Al tiempo que se percató en qué sitio se había metido, sintió una mano que lo haló fuertemente de su camisa. Era una mujer que, a pesar de la hora y el frío, estaba completamente desnuda, de no ser por unas botas de cuero que le llegaban casi a la rodilla. Al lado de la mujer estaba un sujeto flaco, con un *poncho* terciado, bigotes y sombrero, puñal en mano. Todo pasó en una fracción de segundo: la mujer, el tirón, la desnudez, las botas de cuero, los bigotes, el sombrero, el puñal y el salto triple.

El siguiente recuerdo que tiene Diego es que estaba sentado en la silla de un bus que iba circulando, casi vacío, por la Caracas a la altura de una estación de gasolina. Años después, a plena luz del día, volvió a recorrer la distancia que existe entre la puerta de reja en donde la mujer lo haló de la camisa y la estación de servicio. Son unos cuatrocientos metros. Diego ahora se ríe del suceso. Diego jura y rejura que es él, y no el sudafricano Wayde van Niekerk, quien tiene el récord mundial de los cuatrocientos metros. No solo el récord de los cuatrocientos metros:

—Si se hubiera podido medir el tiempo que gasté en recorrer los primeros cien y los primeros doscientos metros, el *recordman* del mundo no sería Usain Bolt sino yo, Diego.

LA CARRANGA

Voy a contarles una historia acerca de la *carranga*. No, no es lo que están pensando los más jóvenes, una historia de un género musical oriundo del altiplano boyacense, la música carranguera, música campesina, al son del requinto, la guitarra, el tiple y la guacharaca. A los músicos de carranga se les conoce como carrangueros. No, no les voy a contar que el carranguero más famoso, Jorge Velosa, líder de Los Carrangueros de Ráquira, fue el primer artista colombiano en presentarse en el Madison Square Garden de Nueva York en 1981. No, voy a contarles una historia de «emprendimiento», como dicen ahora. Una historia de negocios, pura y dura.

Antes de que el *carranguero* Jorge Velosa le diera un nuevo significado a la palabra, la carranga se refería a cualquier animal, especialmente vacunos, que mueren en el campo por cualquier motivo. Es decir, que se mueren. No son sacrificados. El carranguero es la persona que recoge el animal muerto para comprar o vender su carne.

El pueblo de San Jacinto, ubicado a menos de cuarenta kilómetros de Bogotá, es célebre por sus paisajes; altas montañas, valles pequeñísimos surcados por quebradas que, en invierno, alcanzan peligrosos caudales.

Antes de que el «libre mercado», que es cualquier cosa, menos «libre», acabara con la agricultura local, de San Jacinto salían diariamente para Bogotá varios camiones cargados de papa criolla, papa blanca, cebolla, arvejas, ciruelas, papayuelas, zucchinis; todo proveniente de pequeñas fincas cultivadas sin ayuda de maquinaria: lo escarpado de los terrenos no lo permite.

Cuando la política acabó con la pequeña agricultura campesina, casi todos los jóvenes se marcharon a la ciudad. Los pocos que se quedaron ya no cultivan, ni siquiera para el consumo doméstico.

En San Jacinto llueve al menos nueve meses al año. Los pastos brotan con facilidad. Los que se quedaron optaron por tener algunas vacas, cerdos, unas pocas ovejas y cabras y gallinas criollas. Cabras y gallinas no parecen una mala idea, pero las vacas parecen no serlo: todas las semanas, o por los deslizamientos o por lo pendiente de las montañas, se ruedan varios animales. Es una muerte segura.

Otras vacas fallecen en los partos o por la peste. Cuando a un animal se le empieza a aumentar la temperatura los campesinos sufren. Una vaca, como en la India, es su seguro de vida: leche, abono para el pasto y dos o tres hortalizas para el consumo, garantía para un préstamo del usurero local. Una vaca puede ser la diferencia entre la vida y la muerte. O casi.

Así transcurrían los días, hasta que llegó don Manuel. Con don Manuel se podía recuperar algo de las pérdidas sufridas. Prometió que se encargaría de comprar todos los animales muertos, es decir los animales fallecidos, no los que se sacrificaban a propósito. Junto con el número de su teléfono celular, hizo correr el bulo de que la carranga la utilizaban en Bogotá las fábricas de pintura. Ahora, los campesinos ya sabían qué hacer. Nadie lo perdería todo. Don Manuel se haría cargo

—Don Manuel, tengo una vaca que no le baja la fiebre con nada.

—Si se empeora me llama con tiempo para llevar el camión.

—Don Manuel, se me rodó un animal y está fracturado las patas.

—Espéreme que ya voy —contestaba.

Pronto, don Manuel ya no daba abasto. Sus dos hijos adolescentes fueron vinculados a la empresa familiar. El menor se hizo sacerdote. Es pastor de los rebaños del Señor, dicen con sorna los paisanos de San Jacinto. Con la partida del hijo menor para el seminario, don Manuel tuvo que contratar a una persona de su entera confianza. A su nuevo empleado, Daniel, lo formó en los detalles del oficio.

—Cuando le toque ir solo, mire el animal y me llama. Yo lo negocio. Usted lo destaza, y cuando tenga todo listo me llama. Nunca olvide llevar el jabón, el clorox —así le decimos en Colombia al hipoclorito de sodio—, el cepillo, el nitrato de sodio. Si la carne está muy negra la cepilla, la lava bien con el clorox y luego le echa el nitrato.

—Como mande, patrón.

Daniel aprendió rápido. La carranga dejaba de ser carranga y se convertía en carne fresca de un hermoso color rojo en poco tiempo. Aunque don Manuel no dejaba que Daniel se acercara al dueño del frigorífico de Bogotá en donde vendía la carranga, este terminó por enterarse de la enorme diferencia que existía entre carranga entera y carranga destazada y lista para el consumo en la ciudad. El diablo de la tentación hizo el resto: Daniel quiso empezar a negociar con la carranga por su propia cuenta. Don Manuel lo amenazó de muerte:

—Hijo de puta, ¿así me pagas el que te haya dado de tragar? Este negocio es mío.

—Don Manuel, Bogotá es muy grande; hay lugar para todos.

—Sí, pero el negocio en San Jacinto es mío. Solo mío. Te vas para la mierda.

Un día, Daniel, sin trabajo y con varias copas de más, soltó la lengua. Habló con todo el mundo, incluido el cura, el alcalde, el concejo municipal, el director del hospital, el rector del colegio y el comandante de policía. Ya todos estaban enterados de los pormenores del negocio de don Manuel.

—No es cierto —dijo el cura—. Usted es un calumniador. Don Manuel tiene un hijo sacerdote. Es un buen cristiano y muy generoso con la parroquia.

El comandante de policía, por su parte, encerró a Daniel tres días y el alcalde de San Jacinto le comunicó que, para evitar problemas más adelante, mejor dejara el pueblo y se fuera lejos. Nadie volvió a saber de él.

¿Y don Manuel? Hoy es un ganadero respetable, con miles de cabezas de ganado en los Llanos Orientales. Y suministra carne de primera calidad a varios frigoríficos de Bogotá.

ADIÓS A LA DEMOCRACIA

Luis se alista para salir de la cueva en la que vive desde hace cinco años en compañía de algunos pocos sobrevivientes de la última pandemia, una más después de la ya casi olvidada de 2019. Busca algo de comida, aunque sean hierbajos. Sale de noche: de día merodean matones salidos del infierno desatado hace décadas por un aprendiz de brujo imbécil, seguido por decenas de millones de ciudadanos, abandonados a su suerte por quienes se habían auto-erigido en baluartes de la libertad y la democracia. El abandono de la razón fue el principio del fin.

OJO INDISCRETO

Amanece. El ladrido de un perro a lo lejos y el maullido del gato de la casa son los primeros sonidos que escucho. Lo que sigue en mi conciencia es el canto muy sonoro de un pájaro, de muchos pájaros en realidad, porque vivo en una pequeña población de la región amazónica. Aunque todavía no son las siete de la mañana hace mucho calor, por lo menos 28 grados centígrados.

La voz de mi madre llamando a levantarse, ducharse, desayunar e ir al colegio ahoga todo lo demás. Tengo dos hermanos, pero son pequeños y todavía no están estudiando. Al salir de casa, el gato me acompaña un corto trecho del camino que lleva a la escuela y se devuelve. Es un gato más grande de lo normal, de color blanco y gris. Tiene unos testículos enormes. Es casi el único gato que queda en el barrio, por algo que voy a contar ahora.

Vivo en un barrio de cuarenta casas, todas iguales. Lo único que cambia es el color. Tres habitaciones, una sala comedor, una cocina, un baño, un porche, antejardín y un lote de poco más de mil metros cuadrados, en el cual los vecinos han sembrado algunas flores, tomates, plátanos, naranjos, limones, guayabas, maracuyás.

Nosotros, además, tenemos gallinas, pero no están en corral sino en una especie de cabaña sin paredes. Como no se las roban y casi no hay carros, nuestras gallinas y las de todo el barrio están libres. Uno de los oficios de fin de semana es buscar el sitio en el que están poniendo, para que los huevos no se pierdan. Con cierta frecuencia, una gallina desaparece y regresa algunas semanas más tarde acompañada de una decena de pollitos.

El señor de la casa contigua es funcionario público. Trabaja en el hospital del pueblo. Su mujer es ama de casa. Tienen tres hijos, uno de los cuales estudia conmigo.

A ellos los obligan a levantarse más temprano que a nosotros pues se marchan con su padre que los acompaña hasta la escuela, la cual le queda de paso camino del hospital. Algunos días, el señor y su mujer se gritan groserías, porque él llega borracho.

Yo salgo siempre faltando un cuarto para las ocho de la mañana. Casi con la precisión de un reloj, cuando voy pasando por la quinta casa después de la nuestra, me topo, de lunes a viernes, con un hombre, ni joven ni maduro, de tez morena, pelo lacio, flaco, tostado por el sol. Tan pronto como nos cruzamos me detengo. Unos segundos más tarde me doy vuelta para comprobar que entra a la casa del vecino, el de los tres niños, el que trabaja en el hospital.

Un día le pregunté a mi madre acerca de quién podría ser el visitante de la casa contigua.

—Eso no te importa. Y nunca vuelvas a hablar de eso. Te lo advierto —me dijo.

Tan pronto como el hombre flaco entra a la casa, sigo mi camino. Justo en la esquina vive una familia que llegó de fuera. El hijo mayor lleva tatuajes y el pelo muy largo. Casi siempre está sentado en la rama de un árbol del antejardín. Fuma una especie de cigarrillos que no huelen a tabaco. Mis compañeros dicen que es marihuana.

Luego sigue una casa en la que viven dos perros, dóberman, que han matado casi a todos los gatos del barrio. La señora de esa casa también recibe, minutos después de que su esposo se marcha a trabajar, de lunes a viernes, un visitante o, mejor, a varios, pero por turnos: el lunes uno, el martes otro y así. Ella tiene cuatro hijos, todos de distinto color: una muchacha de rizos rubios y alta, por lo menos mucho más alta que yo. Luego sigue un chico moreno, bajito, de pelo liso. Otra niña, de tez blanca, ojos verdes y pelo muy negro y crespo. El último estudia conmigo; es un mulato, muy hábil para el fútbol, buen cantante y mal estudiante.

Con alguna frecuencia, la señora de los niños multicolor anda de pelea con la vecina que vive casi al frente de la de ella. No entiendo por qué pelean, pero gritan y nombran a Martínez, a Guevara, a Narváez y a Pantoja; que usted es una ladrona, y usted una sinvergüenza, que a usted le gustan los pollos y cosas así. Las vecinas se asoman por las ventanas y se ríen.

En la última casa de las cuarenta vive un profesor de educación física, pero no dicta clase en mi colegio sino en el colegio de niñas, que regentan unas monjas alemanas de la orden franciscana. La gente del barrio murmura cosas de él. Debe de ser porque es foráneo, pues fue enviado por el Ministerio de Educación. Dicen que es de la capital. Llegó con dos mujeres jóvenes, tal vez de veintitantos años. No tiene esposa, manifiesta que las mujeres jóvenes son sus hijas. No corren las cortinas.

La ventana que da a la calle es de la habitación principal. Me es imposible resistir la tentación de mirar hacia adentro. A veces el profesor está acompañado de una de las hijas, a veces de ambas, desnudos todos, en la cama. Otras veces está sentado en una mesita leyendo o se está vistiendo.

Después de mediodía, ya concluida la jornada escolar, regreso a casa. Las cosas suceden un poco al revés. El profesor de las ventanas abiertas no está, pero las hijas sí, casi siempre en ropa interior, pero solo llevan puestas las bragas. Los dóberman siguen ladrando a todas las personas que pasan por el frente de su casa o le ladran a los pájaros, porque gatos ya no quedan.

El hombre de los tatuajes y pelo largo sigue sentado en la rama del árbol fumando cigarrillos que huelen raro; hoy lleva una especie de casco en la cabeza, pero más parece una olla de aluminio con adornos que un casco. Otros días está sentado en el porche y pinta cosas; no son cosas conocidas, ni animales ni personas. A mí me parece que son manchas de muchos colores. A mediodía escucha música en inglés con alto volumen.

Mi padre dice que es música para vagos y drogadictos de pelo largo. Debe de ser por eso que un día que llegué a casa con un póster de The Beatles, ese en el que Paul, John, George y Ringo están cruzando el paso de cebra en Abbey Road, me lo rompió en pedacitos, no sin antes darme un largo sermón acerca de la buena música, especialmente la de Leo Marini, los Panchos y María Luisa Landín y otras personas que ya no recuerdo; y que tampoco sabía quiénes eran.

El señor que parece tostado por el sol se encuentra conmigo a la altura de la casa del hombre que fuma en el árbol. A veces me sonríe, otras veces no me mira. Un día me guiñó un ojo, como si compartiéramos un secreto o fuéramos cómplices de algo.

Y así todos los días, de lunes a viernes, casi todo el año, menos en julio y agosto, porque son vacaciones, y en estos dos meses yo tengo una rutina también: muy temprano tomo una mochila en la que pongo una bolsa con un poco de panela raspada, mezclada con avena en hojuelas, un poco de pan, unas botellas de agua, un tarrito de metal con leche condensada, unas dos frutas, un vaso de plástico con lombrices, pantaloneta y caña de pescar. Bueno, no es una caña de pescar propiamente, es una varita de bambú de dos metros. Un rollito de sedal y varios anzuelos. Son casi dos meses en los que solo llego a casa para dormir. A mi madre no parece importarle.

Los sábados y domingos las vecinas no reciben las visitas de costumbre. El hombre del árbol tampoco se ve mucho los fines de semana. Debe de ser porque los padres de familia están en el barrio y le da vergüenza o de pronto piensa que le van a decir algo acerca del mal ejemplo o cosas así. Las gallinas siguen deambulando por todas partes, incluso los fines de semana. Son mudas testigas de la rutina del barrio. A mí no me gusta el colegio. Yo espero que lleguen las vacaciones.

RECOGIENDO LOS PASOS

I

Dicen que Voltaire se refería a las reducciones de los jesuitas en América del Sur como un triunfo de la humanidad. De la misma opinión era Montesquieu, quien consideraba que las comunidades —eso es lo que significaba en el siglo XVI la palabra reducciones— eran un bálsamo que curaba las terribles heridas que unos hombres les habían causado a otros. Una reducción contaba con decenas de menestrales, desde alfareros hasta lutieros, pasando por panaderos, músicos, pintores, albañiles, escultores, coristas o constructores. Así, pues, las reducciones jesuitas gozaban de autonomía en todas las esferas de la vida económica, social y artística.

Los jesuitas y los cuáqueros de Pensilvania le dieron una nueva luz al mundo, es la opinión del autor del *Tratado sobre la Tolerancia*.

Los cuáqueros que fundaron Filadelfia, Φιλαδέλφεια, ciudad del amor fraternal, cuidaban de los pobres, los débiles, no pagaban el diezmo a la Iglesia oficial, no iban a la guerra, hacían caso omiso de toda pompa o reverencia a los ricos. Fue un ejemplo bello de tolerancia religiosa.

El francés Charles Fourier propuso el establecimiento de falansterios, una especie de comunidad igualitarista en torno a la producción, el consumo y la vivienda. A diferencia de otros autores socialistas, Fourier sin dejar a un lado la crítica de la industrialización, el liberalismo y las grandes ciudades, cuestiona la familia que se funda en el matrimonio y la monogamia.

Para Fourier, no bastaba con la abolición de la propiedad privada ni el salariado. La revolución social no tiene por qué detenerse en las puertas del hogar del *pater familias*. La revolución no será completa hasta que las mujeres gocen de libertad sexual. La esclavitud de las mujeres es la raíz de todos los males, en tanto que la liberación del bello sexo lo es de todos los bienes. La emancipación de las mujeres tiene el mismo sentido que la del proletariado, como dijera un paisano nacido en Tréveris.

Para el pensador radical, las mujeres están esclavizadas por la obsoleta institución del matrimonio y la monogamia. Tampoco es verdad que, por naturaleza, están hechas para las ocupaciones del hogar. ¿Por qué la sociedad tolera, y aun elogia, el libre intercambio amoroso solamente en los varones? ¿Qué mujer no se convertiría a un nuevo culto en el que pudiera tener las ilusiones de Cleopatra y Ninon?

II

Ahora, en esta etapa de la vida en que las cosas pasadas se recuerdan mejor que las recientes, me gustaría *recoger los pasos*.

La expresión *solo vendré a recoger los pasos* se usa para designar un lugar que no ha sido del agrado de quien lo dice. Este no es el caso: con gusto regresaría a una pequeña población en la que tuve la fortuna de vivir la niñez y los primeros años de la adolescencia.

No sé si sea por la nostalgia de los años que no volverán, pero estoy convencido de que la pequeña ciudad de mis años mozos tenía un poco de reducción jesuita, otro tanto de la Filadelfia de William Penn y mucho del falansterio de Fourier.

Situado en las estribaciones de la cordillera de los Andes, ríos de aguas cristalinas cruzaban el pueblo. El pequeño poblado, habitado por hospicianos de todo el país, había nacido décadas atrás como una prisión en medio de la selva. Ninguno de los penados osaba escaparse porque no había adónde ir. La probabilidad de salir vivo de allí después de escapar era nula: serpientes venenosas, jaguares o flechas envenenadas pondrían fin a la vida del proscrito.

El trabajo de misioneros capuchinos, la única defensa frente al avance de los países vecinos, habían dotado a la antigua penitenciaría de colegio, acueducto, alcantarillado, templo, banda de música, puesto de salud, escuela de oficios y escuela agrícola.

De niño jugaba a encontrar un rostro nuevo, uno solo, entre la gente que acudía los domingos a misa o la plaza de mercado. Nunca lo encontré: al menos, de vista conocía a todos los habitantes.

Los linderos de las fincas no estaban claros para nadie. Vacas, no muchas, acompañadas de algunas cabras, pastaban en compañía de algunas gallinas en los potreros adyacentes. A menos de doscientos metros de la casa de mis padres empezaba un denso bosque, una selva en realidad. Ríos y quebradas fueron mi hogar en esos años.

Árboles de guayabas, guamas, churimbas, chirimoyas, papayas, pomarrosas, naranjas, caimos, achiote, uvas caimaronas, copoazú, arbustos de ají y una especie de mora silvestre, componían parte de la dieta de los habitantes.

Únicamente se compraban algunos productos de tierra fría, como las papas, las habas o los ullucos, además del arroz, las lentejas, las alverjas, las manzanas, el queso, los garbanzos, el aceite y los enlatados.

Con frecuencia, en la carretera que unía al pequeño poblado con el interior del país, se presentaban derrumbes enormes que lo dejaban aislado varias semanas, y aun meses. Los habitantes se las arreglaban. Entre carne de res, cerdo, pescado, huevos y gallinas, productos de pancoger y los que la naturaleza tuviera a bien otorgar, se iba tirando. Cuando nos quedábamos aislados los productos para las ensaladas se sustituían por palmitos y otros cogollos de palma, que en aquel tiempo no se vendían: nadie compraba lo que se podía tomar de donde crecía libremente.

A ninguno de los finqueros se le ocurría poner límites a los predios y menos impedir que los vecinos tomaran lo que fuera menester para alimentarse.

Mis padres tenían una pequeña huerta en la que sembraron frutas del trópico y algunas flores como las rosas. Cuando llegaba el tiempo, mi madre salía a repartir entre sus amigas y vecinas el producto de la cosecha, que claramente excedía las necesidades de nuestra familia. No es necesario decir que no era un camino sin retorno: huevos, yucas, pan, gallinas vivas, llegaban a nuestra casa.

Mi madre confeccionaba vestidos y elaboraba coronas mortuorias. Además de las rosas se usaba el velo de novia o ensueño, una planta que solo cultivaba una familia indígena, quien lo llevaba a mi casa cuando moría alguien. Si el muerto era importante, las vecinas llegaban con las rosas de su jardín —y la familia indígena con una cantidad mayor de ensueño— porque tocaba hacer más coronas fúnebres.

Mi padre tenía un botiquín. Era la farmacia gratuita del barrio. Se hizo con las muestras gratuitas que dejaban los visitadores médicos. Medicamentos para el dolor de cabeza, píldoras anticonceptivas, cápsulas para el corazón o combatir alergias, purgantes, y aun antibióticos, se distribuían sin fórmula médica a los vecinos.

Hasta ingenieros civiles resultaron: los paisanos construyeron un puente después de que una avalancha invernal destruyera el que había. Entre los vecinos recogieron dinero, producto de donaciones, rifas y venta de empanadas para comprar hierro y cemento.

El dueño de la única ferretería lo vendió todo a mitad de precio. Las piedras y la arena para construir los muros salieron del mismo río. Los que sabían de construcción fueron los encargados de dirigirla.

Para la comida de los trabajadores, las señoras de la plaza de mercado aportaron los tubérculos y verduras, los que tenían gallinas obsequiaron los huevos, el de la tienda puso los condimentos y el arroz, otro facilitó los platos, otro las cucharas. Varias familias prestaron las ollas. Las señoras se encargaron de guisar y servir las viandas. Mejor dicho, una historia que disfrutarían los antropólogos y no tanto los economistas.

La verdad es que no puedo recordar esta etapa de mi vida sin pensar al mismo tiempo el discurso de Don Quijote a los cabreros:

Dichosa edad y siglos dichosos aquellos a quien los antiguos pusieron nombre de dorados, y no porque en ellos el oro, que en esta nuestra edad de hierro tanto se estima, se alcanzase en aquella venturosa sin fatiga alguna, sino porque entonces los que en ella vivían ignoraban estas dos palabras de tuyo y mío. Eran en aquella santa edad todas las cosas comunes: a nadie le era necesario para alcanzar su ordinario sustento tomar otro trabajo que alzar la mano y alcanzarle de las robustas encinas, que liberalmente les estaban convidando con su dulce y sazonado fruto. Las claras fuentes y corrientes ríos, en magnífica abundancia, sabrosas y transparentes aguas les ofrecían... Eran en aquella santa edad todas las cosas comunes: a nadie le era necesario para alcanzar su ordinario sustento tomar otro trabajo que alzar la mano y alcanzarle de las robustas encinas, que liberalmente les estaban convidando con su dulce y sazonado fruto... Todo era paz entonces, todo amistad, todo concordia.

Creo que mi pueblo puede rivalizar con la ciudad del amor fraternal y aun con una reducción jesuita, tanto en la alegría como en la tristeza. Recuerdo la muerte accidental de una pequeña niña hija de una de las amigas de la casa. Los vecinos se encargaron de todo. Los compungidos padres no tuvieron que hacer nada, o mejor, no los dejaron hacer nada. El médico, el juez, el transporte, el féretro, las flores, el aguardiente y el café para los dolientes, los arreglos florales, todo fue asumido por los vecinos. La madre, entre lágrimas, les suplicaba:

—Po favor, al menos, déjenme pagar la misa por mi hija.

Por supuesto, no le hicieron caso.

En otra ocasión, uno de los pocos universitarios del pueblo salió desnudo a la calle. Con ayuda de un megáfono se dirigió a los habitantes, obsequiándolos con un discurso ininteligible. Estaba loco. Tras varias horas para reducir al orate —sin que su familia lo pidiera— se organizó una colecta de dinero, suficiente para llevarlo a un especialista. El dinero alcanzó para el viaje, el hotel, el médico y los medicamentos.

Un grupo de vecinos acompañó al enfermo. Después de tres días la comitiva regresó con el universitario en pleno uso de sus facultades mentales. *Solo hay que esperar a que se le pase el efecto de los hongos alucinógenos que consumió*, les dijo el galeno. El suceso se recordaría mucho tiempo después, sin que disminuyera un ápice la fraternal generosidad de los vecinos.

Los niños eran de todos. A nadie se le ocurría que hubiera que pagar —o cobrar— por cuidarlos. Si los padres de los críos se veían obligados a dejarlos varios días —por un viaje forzoso en el que fuera imposible llevarlos consigo, por ejemplo— las vecinas se encargaban de hacer que los niños comieran, se acostaran y levantaran a tiempo, asistieran a la escuela y demás. La sola pregunta acerca de cuánto se debía por semejante ayuda, ofendería de tal manera a las vecinas que dejarían de hablarles a los padres durante semanas.

En esta edad de hierro, en la que el oro es tan estimado, tales gentes parecen de otro mundo. Tanto más con lo que voy a contar a continuación. Me recuerda los falansterios de Fourier. Aunque los vecinos decían ser católicos, apostólicos y romanos —todavía no habían llegado otras confesiones— se me antoja que no eran muy observantes de los preceptos de la santa madre Iglesia, al menos en lo que a recato, pureza y castidad se refiere.

La libertad de las mujeres era casi tan amplia como la que reclamaba para el bello sexo el francés: aunque estaban casadas o, más frecuentemente, vivían en pareja no tenían mayor apuro en dispensar sus favores a quien ellas querían.

—Lo que se ha de comer el gusano, es mejor que se lo coma el cristiano —espetó Encarnación a unos vecinos que la vieron pasar, muy arreglada, apenas caída la noche y quienes, burlonamente, le preguntaron que para dónde iba. Su marido, Ernesto, no se hacía lío con ello. Una vecina recién llegada al pueblo fue a decirle que Encarnación estaba con un fulano en la cancha de fútbol. Ernesto se limitó a decirle:

—Cuénteme algo que yo no sepa, vecina.

Recuerdo en especial una familia que, según decían, era descendiente de los primeros colonizadores de la región. Tenían once hijos, tres de los cuales estudiaron conmigo en la escuela. Había rubios de ojos verdes, trigueños, morochos de pelo ensortijado, de alta estatura y también de corta talla. Mi padre en su función de farmaceuta de sus vecinos, estaba al tanto de todo.

A Policarpa, una amiga de mi madre, uno de sus varios amantes la obsequió con una bella piel de zorro gris que ella mostró a su marido.

—¿En dónde conseguiste eso? —le preguntó.

—Se la compré a un indio —le dijo ella.

—Ay Polita, dile al indio que me consiga una a mí también —repuso él.

III

Tengo una versión personal de este ambiente relajado y libre. Es lo que viene enseguida. La vecina que colindaba con nosotros construyó una pequeña casa al lado de la nuestra. Era para arrendarla. Al poco de terminarla, fue ocupada por Marleni y Carlos. Tenían dos hijos. Carlos era el padre del más pequeño. No recuerdo muy bien cómo era, pero el caso es que, con doce años, me atreví a escribirle una nota de amor en hoja de cuaderno, la cual envolví como si fuera un cigarrillo y la metí por debajo de su puerta una noche. Aunque ya no recuerdo el texto exacto, le escribí algo así como: ¿Recuerda usted el día que me preguntó por qué estaba tan triste? Fue el día que mi mamá la invitó a comer sancocho de gallina. Le voy a decir por qué. Es que me puse a pensar que si usted no fuera la esposa de Carlos, me gustaría ser su novio.

Cuando muchos años después vi una película italiana, *Malena*, protagonizada por Monica Bellucci, en la que el adolescente Renato Amoroso se enamora perdidamente de la protagonista, no pude parar de reír. Aunque debo confesar que a diferencia de Renato, mi amada sí tuvo conocimiento de mi pasión juvenil. Lo supe varios meses después de la nota que metí debajo de su puerta.

La misma noche de la nota estaba arrepentido de lo que había hecho. Esperé a que todo el mundo se durmiera en mi casa y vigilé también que las luces de la casa de Marleni estuvieran apagadas. Salí de mi casa armado con un delgado alambre al que le doblé la punta, como si fuera un anzuelo gigante. Lo deslicé cuidadosamente debajo de la puerta tratando de pescar el papel. Lo busqué cerca, luego más y más lejos de la puerta. No apareció.

Al día siguiente mi madre me envió a la casa de la vecina por alguna cosa. Mis ojos buscaron afanosamente el papelito enrollado. No estaba. Los días siguientes fueron de angustia: ¿Y si Carlos encontró el papel? ¿Y si fue Marleni? ¿Y si cualquiera de los dos, o ambos, le muestran el papel a mi madre? Bueno, había razón para estar preocupado: en aquellos tiempos esas cosas se arreglaban de maneras distintas a las que se acostumbra hoy.

A medida que pasaron las semanas mi miedo fue desapareciendo, hasta que se fue del todo. Probablemente, pensé, el papel se lo llevó el viento, se lo comió la mascota, lo echaron a la basura sin abrirlo. Cualquier cosa.

Quiso el destino que Carlos y Marleni fueran trasladados a otro pueblo, pues eran funcionarios públicos. La noche anterior a su viaje fueron a despedirse de mi madre. Después de una hora en la que los adultos se desearon salud, paz y buenos deseos, Marleni se acercó a mí; acarició suavemente mis cabellos y me dijo al oído:

—Ay, vecinito, si hubieras tenido unos tres o cuatro años más… Y no te preocupes por Carlos. Él no es problema. Dentro de unos años vendré a visitar a tu madre… y si estás todavía aquí, ya veremos qué pasa.

Yo quería que la tierra me tragara. No sé si mi madre se enteró o no. Pero nunca más volví a ver a Marleni. O, si quieren, a mi Malena. Mi madre decidió que tendría que irme a otra ciudad a terminar el bachillerato y empezar la universidad.

No sé qué pensará usted, querido lector, pero… ¿Cabe imaginar un ejemplo mayor de civilización que una sociedad en la que coexisten la fraternidad, la empatía y la emancipación del bello sexo?

Made in United States
Orlando, FL
29 June 2023

34617223R00085